Nous remercions le ministère du Patrimoine canadien,
la SODEC et le Conseil des Arts du Canada
de l'aide accordée à notre programme de publication

Patrimoine   Canadian
canadien   Heritage

SODEC
Québec ::

Le Conseil des Arts | The Canada Council
du Canada | for the Arts
DEPUIS 1957 | SINCE 1957

ainsi que le Gouvernement du Québec
– Programme de crédit d'impôt
pour l'édition de livres
– Gestion SODEC.

Illustration de la couverture:
Gaëtan Picard

Couverture:
Conception Grafikar

Édition électronique:
Infographie DN

DANGER

LE
PHOTOCOPILLAGE
TUE LE LIVRE

Dépôt légal: 2ᵉ trimestre 2003
Bibliothèque nationale du Canada
Bibliothèque nationale du Québec

123456789 IML 09876543

AZURA, LE DOUBLE PAYS III
LE TEMPLE
DE LA NUIT

DU MÊME AUTEUR
AUX ÉDITIONS PIERRE TISSEYRE

Collection Chacal
L'Arbre-Roi, 2000.
Baha-Mar et les miroirs magiques, 2001.

Données de catalogage avant publication (Canada)

Picard, Gaëtan

    Le Temple de la Nuit

    (Collection Chacal; 21)
    (Azura, le Double Pays)
    Pour les jeunes de 12 ans et plus.

    ISBN 2-89051-855-8

    1. Titre   II. Collection   III. Collection: Picard,
    Gaëtan. Azura, le Double Pays.

PS8581.1234T45 2003   jC843'.6   C2003-940762-4
PS9581.1234T45 2003
Pz23.P52Te 2003

AZURA, LE DOUBLE PAYS III

LE TEMPLE
DE LA NUIT

Gaëtan Picard

roman

ÉDITIONS
PIERRE TISSEYRE

5757, rue Cypihot, Saint-Laurent (Québec) H4S 1R3
Téléphone: (514) 334-2690 – Télécopieur: (514) 334-8395
Courriel: ed.tisseyre@erpi.com

I

Escale au bout du monde

1

Malgré son grand âge, l'empereur Sidrien VI avait renoncé au confort de la citadelle pour entreprendre un périple hors du commun. Son vaisseau bleu avait suivi les longs rivages du fleuve Obscur, puis traversé les terres sauvages pour finalement jeter l'ancre dans la baie d'Issoro. Là, juché sur les hautes falaises, se trouvait Térinor, la petite cité du bout du monde.

L'empereur était heureux de voir ses clochers et ses moulins après toutes ces journées passées sur l'eau. Térinor était une étape importante de son voyage, la dernière avant l'ultime traversée. Mais, malgré tous ses attraits, il n'y ferait qu'un bref séjour. C'est ailleurs qu'il était attendu, ailleurs qu'il rêvait d'aborder.

Si les vents lui étaient favorables et que la mer se montrait clémente, il naviguerait en des eaux où aucune terre n'assombrit l'horizon. Il voguerait jusqu'au Rissum, pointe radieuse de la mythique cité d'Oasio qui vivait cachée sous les flots. À ce qu'on disait, l'antique cité plongeait ses racines dans les profondeurs du Grand Océan, et seule cette cathédrale de lumière, posée telle une fleur d'or sur l'eau, témoignait en ce monde de l'existence du peuple sous-marin.

Smin, oasien respecté dans les cercles aquatiques, avait été désigné pour remplacer le Premier, père spirituel et gardien des Courants Vivants. Le vénérable oasien avait péri de façon tragique aux mains des krosts, leurs ennemis jurés, lors de l'invasion de leur cité. L'avènement de Smin à sa succession, devait marquer la fin de cet épisode sombre de leur histoire. Pour souligner son couronnement, les oasiens avaient surmonté leur méfiance envers ceux de la surface, et invité l'empereur et sa suite à assister à la cérémonie. Il leur avait même offert de séjourner quelque temps avec eux, dans les colonies sous-marines.

Recevoir une invitation de la cité du silence, comme certains appelaient la capitale oasienne, était un événement extraordinaire. Flatté, l'empereur ne prêta qu'une oreille distraite à ses ministres qui s'interrogeaient sur les véritables motifs des oasiens ou qui, plus nombreux, s'inquiétaient de l'impact d'un si long voyage sur sa santé déjà fragile. Bien sûr, avec les années, l'honorable Sidrien était devenu sensible aux humeurs du temps, comme disaient ses médecins avec diplomatie, mais il était toujours solide et alerte. Et puis, il était l'empereur, et comme un empereur digne de ce nom, il faisait comme il l'entendait.

L'invitation fut donc acceptée et aussitôt transmise aux seigneurs les plus influents de l'empire. Sidrien les conviait tous à bord de son vaisseau pour l'accompagner lors de ce voyage historique. Midros et Ribus, seigneurs des hautes terres, ainsi que Lufévon, saint patron des casse-bois, avaient déjà rejoint, aux différentes étapes de son parcours, les rangs du prestigieux équipage. Il ne manquait plus que les représentants de

Térinor, et le vaisseau impérial pourrait enfin mettre le cap sur la cité oasienne et ses secrets.

2

Térinor était en liesse. Voir les pavillons de l'empire flotter au-dessus de la baie était, pour les villageois, un moment de pur bonheur. Sidrien VI était une légende bien vivante, le réunificateur des peuples, et il visitait leur lointain royaume pour la première fois. Fraîchement reconstruite, la petite cité pouvait être fière, et ses habitants avaient tous le cœur à la fête. Les portes étaient grandes ouvertes, les fenêtres décorées et les rues, toutes plus animées les unes que les autres. L'empereur fut surpris de ne voir aucune trace du drame qui avait frappé la région quelques années plus tôt. Tout ce qui avait été emporté par le raz de marée avait déjà été reconstruit. Netho, roi de Térinor, Fidril, la reine, et leur fils, Nimir, se tenaient aux portes d'un royaume charmant et, à première vue, sans histoire. Derrière eux, les maisons à la peau blanche ressemblaient à de fragiles palais sculptés dans la glace et de grands arbres projetaient leurs ombres dansantes le long des avenues fleuries.

— Bienvenue à Térinor ! clama le roi Netho. C'est une joie pour nous et notre peuple de vous accueillir. Aujourd'hui, la petite cité du bout du monde s'est faite belle pour vous. Laissez-moi vous y conduire sans plus tarder !

L'empereur Sidrien et sa suite accompagnèrent le noble géant dans les rues du royaume, et la foule enthousiaste se massa derrière eux pour les acclamer. Ils marchèrent ainsi jusqu'à une vieille auberge construite au cœur de Térinor : la Chouette Moqueuse. Le petit établissement devait son nom à une chouette qui avait longtemps niché au sommet d'un grand pin, au fond de son jardin. Son hululement, rapide et saccadé, était si particulier qu'on croyait entendre un gnome qui aurait trop bu, riant d'aise durant son sommeil. Certains racontaient que c'était grâce à lui si ses vieux murs étaient toujours debout. Vrai ou faux, l'auberge avait échappé au désastre qui avait ébranlé le pays et elle était devenue le symbole de la force et de la détermination qui habitaient les gens de Térinor.

— La Chouette en a vu d'autres ! disait-on lorsque les éléments se déchaînaient et que le vent du large soufflait avec un peu trop d'insistance.

3

Oluc, le maître des lieux, avait organisé une grande fête pour célébrer l'arrivée de l'empereur. Il s'y préparait depuis des mois et avait mis tout en œuvre pour qu'elle soit la plus mémorable que Térinor ait jamais connue. La chère y était abondante, les tables accueillantes, les visages enjoués et le vin chantant comme ruisseau au soleil. Mais ce qui fit le ravissement des invités fut sans contredit la musique que l'on joua, cette nuit-là, dans la grande salle de l'auberge.

Le neveu d'Oluc, un fort gaillard au visage radieux qui répondait au nom de Tolain et qui, pour la plus grande joie des clients, exerçait ses talents dans les cuisines, était monté sur scène, un petit luth caché sous son long tablier blanc. C'était un instrument étrange, d'apparence très ancienne, et lorsqu'il le sortit, les seigneurs du monde crurent d'abord à une plaisanterie. Mais, après seulement quelques notes, ils se ravi- sèrent. Le jeune cuisinier savait faire lever autre chose que des gâteaux, et les convives bondirent de leurs sièges pour se laisser porter par le rythme endiablé qui déferlait du petit instrument. Même l'empereur suc- comba à la joyeuse magie qui l'entourait et se mit à taper des mains en riant comme un enfant.

— Ces airs sont encore plus merveilleux que ceux que l'on entend à la citadelle, confia-t-il à son hôte, étonné.

Netho acquiesça. La voix du jeune musi- cien était magnifique, ses doigts légers dans leur harmonieux menuet, et, comme tous ceux qui étaient présents, il l'écoutait sans en perdre une note. Le prince Nimir n'échap- pait pas à la fascination que cette musique exerçait sur quiconque l'entendait. Incapable de résister plus longtemps à l'appel de la fête, il disparut à son tour dans la danse, passant d'une ronde à l'autre sans s'arrêter. Fidril se tenait debout près de son roi, les yeux fixés sur les doigts du musicien, sem- blant prier pour que jamais ne s'interrompe la sublime mélodie. Chaque accord éclairait un peu plus son cœur, comme l'aube qui se lève dans le ciel et chasse les nuages les plus sombres. Tolain joua pendant plusieurs heures, sans que jamais la magie ne s'estompe. Lorsque sonna la dernière note, un lumineux silence s'éveilla dans tous les regards. Dans un geste spontané, la reine se dirigea vers le jeune prodige pour l'embrasser.

— Jamais je n'oublierai cette soirée, dit-elle, émue par le spectacle auquel elle venait d'assister.

— C'était extraordinaire ! ajouta Nimir, qui s'était lui aussi approché. Ça m'a beaucoup plu ! Sauf peut-être pour cette chanson, *Le serpent à barbe*. Trop envoûtante, si je puis dire. J'avais l'impression que la flamme-pensée du Dieu Reptile était ici, à Térinor. Que ses rêves fous m'avaient retrouvé et me pourchassaient dans la danse.

— Je comprends, dit Tolain, intimidé de se retrouver auprès de son prince, ce jeune héros qui lui avait inspiré quelques-uns de ses plus beaux airs.

4

Cette nuit-là, de douces mélodies ber-cèrent les rêves de Nimir. Le lendemain, lorsqu'il monta à bord du vaisseau qui devait le mener à Oasio, les notes qu'il avait eu le bonheur d'entendre lui semblaient plus mystérieuses encore que cette incroyable cité qui l'attendait au milieu du Grand Océan.

— On aurait dit une musique venue d'un rêve.

Au fond de lui, il se demandait comment Tolain avait appris à jouer des airs si merveilleux. Par quelle magie un jeune cuisinier se révélait-il soudain être le plus inspiré des ménestrels ? Se pouvait-il que ce soit Oluc qui lui ait enseigné cet art étonnant ? C'était possible. Tout le monde savait que les auberges cachaient parfois d'étonnants trésors. Mais cela n'expliquait pas tout. Comme Fidril, Nimir avait ressenti quelque chose de particulier en écoutant le jeune musicien. Quelque chose qu'aucune autre musique ne lui avait fait ressentir à ce jour. C'était comme s'il avait pu discerner une autre voix derrière celle de Tolain. Une voix issue d'un autre monde, chaude et étrangement familière. Une voix qu'il aurait souhaité pouvoir entendre toujours, où qu'il soit. Mais Nimir n'en souffla mot à personne. Les louanges étaient sur toutes les lèvres et il aurait été déplacé de jeter un doute sur un triomphe aussi éclatant.

Malgré tout, la magnificence des interprétations de Tolain s'accompagna chez Nimir d'un étrange pressentiment. Comme si une telle aisance ne pouvait être humaine. Plus il y pensait, plus il était convaincu que derrière ce don extraordinaire se cachait une forme de sorcellerie. Une sorte d'enchantement. Mais l'instant suivant, il trouvait cette idée ridicule.

— Jouer de la musique n'a rien de bien sorcier.

Tolain n'était ni le premier ni le dernier à faire vibrer le cœur de Térinor. Seulement, lui, il avait plus de génie que les autres. Et comme le disait sagement le roi Netho, « la magie, à elle seule, ne peut avoir tout engendré ».

— Tout de même, j'aurais dû mieux examiner ce drôle de petit instrument qu'il cachait sous son tablier, se reprocha Nimir.

II

Le luth du Rougeaud

1

On peut affirmer sans se tromper que tout avait commencé le jour où deux hommes des bois s'étaient présentés à la porte de l'auberge. Des casse-bois, comme on les appelait, à cause de leur hache qui avait tracé la seule route à avoir jamais pénétré les terres sauvages. C'étaient des êtres rustres mais justes, trapus mais habiles, fidèles aux anciens rites qui gouvernent la nature. On racontait que, d'une parole, il pouvait faire se lever le brouillard ou tomber la pluie et, à la Chouette Moqueuse comme ailleurs, on s'assurait qu'ils soient toujours bien logés et nourris. Mais il était plutôt rare de les rencontrer sur les routes. Les casse-bois ne se sentaient chez eux qu'à l'intérieur des terres sauvages et ne s'aventuraient, dans la forêt qui s'étendait au sud de Térinor, que pour traquer les loups à l'approche de l'hiver. Aussi Oluc fut-il surpris de les accueillir chez lui en cette belle matinée d'été.

Il fut encore plus étonné lorsqu'il vit ce qu'un des hommes cachait au fond d'un de ses paniers : un bébé qui n'avait rien d'un casse-bois à ce qu'il pouvait voir. Les étrangers lui racontèrent avoir trouvé l'enfant, abandonné au cœur de la forêt. Ses cris les avaient guidés jusqu'à une clairière baignée d'une lumière surnaturelle. Ils l'avaient vu, étendu sur l'herbe. Près de lui, un grand oiseau était posé. De ses longues ailes, il protégeait le corps nu du nouveau-né. Lorsqu'il vit les casse-bois approcher, l'oiseau écarta ses ailes pour bien leur montrer le nourrisson. Dans son langage, semblable à la plus belle des musiques, il expliqua aux casse-bois qu'ils devaient conduire l'enfant à la demeure de la chouette.

L'aubergiste les écouta attentivement. Il savait que les casse-bois comprenaient le langage des animaux. Leur propre langage ressemblait au grognement d'un ours enroué.

Oluc prit l'enfant dans ses bras et fut aussitôt frappé par sa beauté. Ses traits étaient lumineux, et ses yeux, aussi purs que le ciel au lever du jour. Oluc était seul dans la vie, son épouse ayant été emportée par la maladie avant qu'il puisse connaître la joie d'être père. Touché par le destin du petit être abandonné, il accepta de garder l'enfant, persuadé qu'un si merveilleux poupon était voué à un grand destin.

Cela s'était passé il y avait bien des saisons déjà, et le jeune bambin était devenu un solide garçon qu'Oluc avait baptisé Tolain. Son neveu, comme il le présentait aux clients de l'auberge qui s'étonnaient de voir comment il grandissait en beauté et en force.

2

Les choses en seraient sans doute restées là, si, par un bon matin, Oluc n'avait décidé de nettoyer le grenier de son auberge. C'était une tâche ardue qu'il remettait depuis des années et, sans l'aide de Tolain, jamais il n'aurait trouvé le courage de s'y attaquer. Il y avait là tant de boîtes, de coffres, de sacs, de ballots, qu'on ne pouvait plus y accéder sans d'abord déplacer d'encombrantes vieilleries.

— Allons, mon oncle, le pressait Tolain. Si on commence tôt, on aura terminé avant l'arrivée des premiers clients. Et puis, j'ai hâte de voir tout ce qui se cache dans ces boîtes.

— Ma foi, tu risques d'être déçu, l'avertit Oluc en ouvrant la lourde trappe de bois.

Mais Tolain ne l'écoutait que d'une oreille. Il avait vraiment très envie de voir tout ce qui se cachait là-haut. D'un signe rapide, il fit comprendre au jeune chien qui l'accompagnait de l'attendre sans bouger. « Sage ! » enregistra la cervelle du petit chien têtu que Tolain avait affectueusement baptisé Pioche. Sans autre indication, le chien s'écrasa sur le tapis. Suivre à la semelle un jeune garçon comme Tolain n'était pas de tout repos, et la pauvre bête était fatiguée. Si son maître voyait dans son épuisement un signe d'obéissance, cela ne pouvait être qu'une bonne chose, pensait Pioche pour lui-même. C'est donc ainsi, rêvant à quelques biscuits ou à un os bien croquant, qu'il se

 20

mit à roupiller comme l'aurait fait le meilleur des chiens.

Lorsque Tolain pénétra dans le grenier, il eut l'impression d'avoir quitté le monde tel qu'il le connaissait. Seule une étroite lucarne laissait entrer l'éclat du jour, et il n'y voyait pratiquement rien. Quelques pas devant lui, Oluc avançait, repoussant paquets et colis de ses jambes, comme s'il se frayait un chemin dans la neige. Au centre de la pièce, une petite lampe était suspendue et il l'alluma. Puis, au hasard, il ouvrit une première boîte, puis une autre, et ainsi de suite, jusqu'à ce que le parfum des jours passés leur colle à la peau.

3

Oluc avait vu juste. Une heure seulement s'écoula avant que Tolain ne perde son bel enthousiasme devant cet invraisemblable fouillis. Vers la fin de la matinée, il en avait franchement assez. Il souhaitait presque que son vieil oncle baisse les bras devant les montagnes de boîtes et oublie toute l'histoire. C'est juste à ce moment qu'Oluc dénicha enfin quelque chose digne d'intérêt : un petit luth qu'un client lui avait autrefois remis pour payer sa note. À ses côtés, soigneusement rangé au fond de l'étui, se trouvait un costume de scène : une veste de gala écarlate, garnie de gros boutons d'or et d'argent.

— Eh bien ça…

— Qu'est-ce que c'est ? demanda Tolain.

— Ah, de vieux souvenirs, répondit Oluc en songeant à ces fêtes qu'évoquaient les cordes désormais silencieuses.

— C'est un luth ? C'est bien ça ?

— Il est dans un triste état, constata l'aubergiste en retournant le fragile instrument entre ses mains.

— Vous savez en jouer ?

— Qui ? Moi ? Non, non ! J'adore la musique, mais je n'ai jamais eu le temps d'avoir la patience, comme disait mon père. Il appartenait à un troubadour qui chantait, il n'y a pas si longtemps, le grand Rohemo, le frère aîné de notre bon roi Netho. Lorsqu'il jouait, ses joues rondes s'enflammaient, et, avec elles, tout son visage s'embrasait, à tel point qu'on le surnomma Rohemo le Rougeaud, ou plus simplement le Rougeaud.

— Le Rougeaud ? A-t-il déjà joué ici, à l'auberge ?

— Oui, à quelques reprises. C'était un musicien étonnant, et à écouter ses airs endiablés, on ne pouvait se douter que le pauvre homme n'avait jamais vu le bleu du ciel, ou l'éclat d'une fleur. Que jamais il n'avait contemplé les rivages que ses chansons évoquaient avec génie.

— Vous voulez dire que…

— Le Rougeaud était né sans voir le jour, si je peux m'exprimer ainsi. Ce qu'il avait vu, lui, en ouvrant les yeux pour la première fois, c'était la nuit. C'est pour cette raison qu'il n'accéda jamais au trône de Térinor et que Netho, fils cadet du roi, succéda à son père. Mais, à vrai dire, cela ne le gênait pas trop. Pendant des années, il a traîné son luth aux quatre coins du pays et a arpenté la grande forêt dans tous les sens, sans jamais s'égarer. Les murmures de la forêt, son tapis aux parfums humides, le chant des vents et des ruisseaux, tout cela avait tracé dans sa mémoire une vaste carte, comme la pluie qui, goutte après goutte, creuse la terre. Tu peux me croire, personne au village ne connaissait la forêt mieux que lui ! Avec le temps, le bois était devenu sa véritable demeure et les animaux qui y vivaient, sa seconde famille. Il veillait sur eux comme s'ils étaient tous ses propres enfants, distribuant des carottes aux lièvres, des noix aux écureuils, ou de la mie de pain aux oiseaux. Je me souviens qu'on pouvait le voir, seul au milieu des piaulements, tremper son bout de pain dans un large bol de soupe fumante, dont une marmite mijotait sur le feu quelle que soit la saison. Ce seul détail nous intriguait, et il fallut peu de temps pour que mes camarades et moi soyons convaincus que, même les légumes qui nageaient dans son bouillon, sortaient de l'ordinaire.

— Peut-être était-il un peu sorcier ? Ou ami des casse-bois ? lança Tolain. On raconte que la lecture d'une de leur recette maison suffit pour faire dresser les cheveux sur la tête !

— Chose certaine, c'était un singulier personnage, poursuivit Oluc. Sa maison, bâtie à l'ombre des collines, était froide et sombre, et son jardin semblait le refuge de jours anciens tant les arbres s'y dressaient hauts et forts et que les herbes sauvages y étaient abondantes.

— Pas très accueillant comme endroit !

— Au contraire ! Pour les enfants en quête d'aventures que nous étions, c'était le paradis. Je me souviens que plusieurs s'y donnaient rendez-vous dès les premières heures du jour. Avec entrain, nous ratissions la forêt à la recherche de bois mort pour le feu de joie que le Rougeaud nous promettait «dès que le soleil retournera rêver sous la vieille colline», comme il disait. Une fois notre quête terminée, il remettait à chacun un fruit en guise de récompense. Parfois, un bol de sa soupe épaisse et odorante nous était servi en prime, ce qui réjouissait les plus gourmands mais m'embêtait un peu, surtout à cause des légumes dont l'origine inconnue ne cessait de me tourmenter. Puis il nous renvoyait à la maison, chargés d'une importante mission : entraîner les grandes personnes à la fête qu'il préparait chaque soir. Plus d'une fois, j'y ai guidé mes parents, forçant le pas par crainte de manquer les premières notes.

— Vous vous y rendiez souvent ?

— Oui, bien sûr. Aussi souvent que nous le pouvions. Tout le monde appréciait ces représentations, et les enfants encore plus. Courbé en deux comme un vieillard, c'est à eux que le Rougeaud adressait d'abord ses ritournelles. C'était un vieux truc pour charmer les plus âgés, qui ne ratait jamais. Mais plus réussie encore était l'impression qu'il faisait à la marmaille qui l'entourait. Voir ce personnage aux pommettes rouges et souriantes danser une petite gigue, alors que de ses poches tombaient bonbons et sucreries de toutes sortes, nous ravissait totalement. Il semblait ensorcelé par la musique qui, de toute évidence, émanait du luth lui-même. Il suffisait, pour s'en persuader, de le voir jouer. Le Rougeaud paraissait contrôler difficilement l'incroyable flot de notes qui en surgissait. Pas un instant, il ne cessait de danser et de sauter. Il faisait de grands gestes pour maîtriser l'instrument récalcitrant, le rattrapait au dernier moment, le guidait doucement vers lui, puis, subitement, tout recommençait. Le luth ne lui laissait que le temps de prendre une petite gorgée d'eau, et en avant, la musique ! Parfois, il lui était permis de s'éponger le front de son mouchoir, et à ce petit signe, on pouvait être sûr que le luth nous préparait tout un numéro ! Tant que les flammes dansaient, pas un instant le bonhomme ne cessait de jouer. Tout le bois amassé devait être brûlé, tous les enfants épuisés, avant qu'il ne puisse se reposer, ce qui se produisait d'ordinaire très tard. En effet, de nombreux enfants, sous la directive des plus vieux, continuaient à sortir de la forêt tout ce qu'ils y trouvaient de branches ou de vieux bâtons pour les jeter dans le feu et prolonger la fête. Mais le Rougeaud ne flanchait pas. Une énergie incroyable l'animait. Une énergie qu'il communiquait autour de lui, et, longtemps,. il égaya les nuits de Térinor de ses airs endiablés.

Puis, un soir, autour du feu, alors que le Rougeaud y allait d'une danse particulièrement invitante, il la vit. Lui qui avait toujours vécu dans la nuit, il pouvait la voir s'approcher, attirée par la fête comme un ange par la lumière céleste. En fait, il ne percevait qu'elle. Une sorte de miracle, comme on dit.

— Qui était-ce ?

— Une demoiselle remarquable, ça, c'est certain. Aussi radieuse que le jour, aussi mystérieuse que la nuit, sa seule présence semblait à nos yeux un fabuleux tour de magie. On la voyait parfaitement, mais on n'osait y croire, si je puis dire.

— Elle n'était certainement pas aussi jolie que la Jouane ! Encore hier, je l'ai aperçue au marché, et mon cœur s'est emballé.

— La Jouane est très jolie et ferait un excellent parti pour un jeune homme tel que toi. Mais, crois-moi, la demoiselle dont je parle était différente de toutes celles que tu as pu connaître.

— Différente ? Et de quelle façon ?

— De bien des façons ! Vois-tu, sa beauté était unique, car elle ne l'avait point héritée de sa mère ou de son père. Cette beauté était sienne et le serait pour toujours, car – nous en fûmes bientôt tous persuadés – la belle était une femme-esprit. Une chimère blanche, comme disent les casse-bois en parlant de ces créatures qui rôdent près des sources et des ruisseaux.

— Une chimère blanche ? Vous voulez dire… une fée ? s'exclama Tolain.

— Une prêtresse de la forêt, pareille à celles qui régnaient sur le monde, il y a de cela très longtemps.

— Mais comment pouvez-vous en être si sûr ?

— Personne n'a jamais cru que la belle venait des hautes montagnes de l'ouest, comme elle l'avait d'abord prétendu. Une si gracieuse créature ne pouvait avoir vu le jour qu'en ce pays mystérieux dont seuls les casse-bois connaissent les périlleux sentiers, ajouta Oluc.

Tolain regardait son oncle sans rien trouver à ajouter. Oluc avait toujours d'incroyables histoires à raconter, mais cette fois, il se surpassait.

— Malgré les lois qui limitent les allées et venues du peuple secret, on la vit de plus en plus souvent se mêler aux gens du village. Habituée à la quiétude des bois, elle s'étonnait de l'exubérance et de la joie des paysans. L'éclat des rires, par exemple, la fascinait, et il n'y avait pas une fête, pas un banquet, dont elle n'ait gardé un vibrant souvenir. Mais plus que tout autre chose, c'est la musique qui la touchait. La musique du Rougeaud, pour être plus précis. Comme jamais les pures mélodies du pays enchanté ne l'avaient fait, les airs joyeux et sans prétention du troubadour l'avaient conquise. De ses doigts habiles, celui que l'on disait capable de faire danser les pierres et chanter les crapauds avait séduit la divine créature !

— Le Rougeaud a épousé cette dame de la forêt ? Cette chimère blanche, comme vous dites ?

— Le troubadour devait être un peu magicien lui aussi, ou alors ce sont les cordes de ce luth qui l'ont envoûtée, car la belle ne le quitta pratiquement plus. Sa voix ensoleillée se mêlait à celle du Rougeaud, et l'écho de leurs chants pouvait voyager des journées entières avant de s'éteindre. L'heureuse mélopée demeurait là, suspendue, comme un sourire accroché au coin du jour, et tous ceux qui s'en donnaient la peine pouvaient l'entendre. Les plus durs travaux s'en trouvaient allégés, les blessures anciennes oubliées, comme si la nature tout entière cessait de s'apitoyer sur son sort et se payait un peu de bon temps. Le Rougeaud vécut ainsi quelques années avec elle, retiré au pied des collines, et tous en furent heureux tant leur bonheur était sincère.

— Mais cette maison est depuis longtemps déserte, fit remarquer Tolain. Que sont-ils devenus ?

— Un jour, la belle dut retourner chez elle et le troubadour l'a suivie pour ne jamais revenir. Avant de partir, pour honorer une ancienne dette, il m'a remis son luth. « Là où je vais, je ne peux l'emporter, m'a-t-il dit. Puissent d'autres mains le faire chanter ! »

— Personne n'a jamais entendu parler de lui depuis ?

— Personne. Sans doute le brave homme repose-t-il dans les jardins de Num, gardant pour toujours son secret. Certains croient que le Rougeaud, avant son dernier voyage, demanda à sa compagne de continuer à veiller sur notre petit village. S'il faut croire cette légende, cela expliquerait une foule de choses.

— Je ne comprends pas…

— Sûrement as-tu déjà remarqué qu'au printemps les pommiers sont plus fleuris de ce côté-ci de la rivière que chez nos voisins, que la forêt y est moins sombre les soirs d'automne et que l'été, en plein jour, on peut voir l'étoile-fauve briller au-dessus de la Côte-au-Moulin.

« Au-dessus de la Côte-au-Moulin ? Impossible je l'aurais remarqué », songea Tolain en levant les yeux vers la lucarne.

Entre les longues pales du moulin, une étoile scintillait dans le bleu du ciel. Une étoile d'un éclat sauvage, que seul le grand soleil du midi réussissait un moment à dompter.

— Est-ce là l'œuvre d'une fée? s'exclama-t-il en riant.

Son vieil oncle cherchait encore à lui faire une blague. Cette fois, il ne s'y laisserait pas prendre.

— Qu'en penses-tu, toi? questionna Oluc en plongeant son regard dans celui de Tolain, comme si la réponse y était enfouie.

— Je… je ne sais pas, balbutia Tolain, ignorant s'il devait rire ou non.

Pour la première fois, son oncle l'intimidait. Il n'y avait aucun doute, il croyait dur comme fer à son histoire. Comme tous les gens de son âge, il en connaissait les moindres détails. Impossible d'y penser sans un pincement au cœur. Pour son vieil oncle, la meilleure part de l'humanité était restée là-bas, sous les grands arbres, où le Rougeaud continuait à jouer des airs merveilleux.

— Bon. Assez bavardé, conclut Oluc en remettant le luth dans sa boîte. J'ai déjà pris pas mal de retard sur mon horaire de la journée. Il y a maintes choses dont un aubergiste doit s'occuper avant la nuit s'il veut toujours être en affaires le matin venu.

— Déjà ? protesta Tolain, curieux d'en connaître plus sur cette fée qui faisait fleurir les pommiers et chanter les hommes.

— Ce n'est plus l'heure de rêver, mais celle d'allumer les fourneaux et de dresser la grande table.

— D'accord, fit Tolain, comprenant au ton de son oncle qu'il était inutile d'insister. Descendons à la cuisine ! Une fois le ventre bien rempli, nous aurons tout le temps d'y revenir.

— Nous verrons, dit Oluc en souriant. Nous verrons.

III

Le cadeau d'Oluc

1

Le mois suivant, Oluc ne songeait plus ni au grenier ni au luth qu'il y avait retrouvé. Comme lui, l'auberge vieillissait et, chaque jour, il passait de nombreuses heures à rafistoler ceci ou cela. À vrai dire, il se demandait par quel miracle il parvenait à s'occuper des clients qui séjournaient sous son toit. Heureusement pour tout le monde, d'une façon ou d'une autre, il y arrivait toujours.

Ce n'est qu'à l'approche de l'anniversaire de Tolain qu'il se rappela l'intérêt que le petit instrument avait suscité chez son neveu. L'idée de lui en faire cadeau lui parut doublement excellente ; il ne l'accuserait pas, cette année encore, d'avoir oublié son anniversaire et, surtout, il réalisait du même coup une économie appréciable. Les affaires n'étaient pas aussi florissantes qu'il l'aurait souhaité et le moindre gain était devenu pour lui une occasion de se réjouir.

Tolain accepta le cadeau, poliment, sans plus. Bien sûr, il n'avait pas oublié l'histoire de son oncle, puisque l'étoile-fauve avait brillé tout l'été au-dessus de la Côte-au-Moulin. Mais, loin des ombres mystérieuses du grenier, l'instrument avait perdu de son charme et ressemblait à un simple jouet, tandis que la veste écarlate rappelait un costume de cirque défraîchi. Pas du tout le genre de présents qu'espère recevoir un garçon de quinze ans. Près de lui, Pioche reniflait l'étrange objet, en battant l'air de la queue. De son museau curieux, il inspectait la caisse, pour s'assurer qu'il ne s'y cachait rien que l'on puisse manger. Comme ceux de son espèce, Pioche était très gourmand. C'est précisément pour cette raison qu'il aimait bien Oluc. Ce vieux bougre avait toujours quelque chose à lui jeter sous la dent. S'il avait apporté un cadeau, celui-ci ne pouvait être que délicieux !

Mais son flair le trompait rarement et il comprit bien vite que rien de sucré, de saignant ou de croquant ne sortirait de cette caisse de bois. Déçu, il leva la tête vers Oluc, mais le vieil homme ne s'occupait pas de lui. Sans plus de façon, le pauvre chien retourna se coucher.

Pourtant, une fois seul, Tolain s'intéressa de plus près à l'instrument. Au premier abord, son aspect négligé l'avait attristé, mais une fois bien astiqué, il se révéla d'une construction soignée et fort agréable à l'œil. La caisse, adroitement dessinée, n'était pas trop abîmée et son petit manche, toujours solide, était parfaitement aligné. Aucune des cordes n'était brisée et seulement quelques-unes, jugea rapidement Tolain, devraient être ajustées. L'instrument, en dépit de son âge, était en bon état. Mais un autre détail retint aussi son attention. Au centre de la caisse, formant un large cercle, était peinte une farandole d'animaux étranges.

— On dirait une fête sauvage, dit Tolain au chien qui le regardait sans comprendre.

Une à une, il nettoya les figures, s'émerveillant de les découvrir intactes sous la poussière. Leurs silhouettes bondissantes suggéraient les rythmes primitifs d'une danse ensorcelée. Une danse sauvage et mystérieuse, débordante d'une autre vie, plus vaste, plus sombre. Cette image fascina Tolain et, longtemps, il en étudia les détails. Il imaginait les animaux de la forêt, dansant au son du petit instrument. Il imaginait les moutons sautant allégrement de pâturage en pâturage, les canards valsant en couples sur l'étang, les ours encerclant la colline, marquant la cadence debout sur leurs lourdes pattes.

L'idée d'un lieu où la musique réunirait tous les êtres vivants lui plaisait beaucoup. Cet endroit était le plus merveilleux pays que Tolain avait imaginé à ce jour. En ces terres lointaines, rêvait-il, tous les animaux formaient une grande famille, et lui-même y avait des parents, comme tous les autres enfants. Tolain aimait beaucoup Oluc. L'aubergiste lui avait tout appris et il était, à lui seul, une véritable famille pour lui. C'était aussi son meilleur ami. Mais il avait parfois l'impression d'appartenir à un monde plus vaste, situé bien au-delà de Térinor et de son auberge. Un monde dont on avait perdu la trace et où sa mère et son père étaient réunis. Cette rumeur d'un ailleurs grandissait en lui, semblable à un écho à la fois doux et déchirant. Une chose lui paraissait certaine ; si un tel pays existait, cet étrange petit luth pouvait y mener. Oui, un bon musicien saurait trouver cette route qui conduisait au cœur des êtres. Cette route qui le ramènerait chez lui.

Tolain fit donc quelques essais ; il pinça les cordes, trouva quelques accords, pratiqua diverses positions avec ses mains. Au début, son talent hésitant et l'instrument mal accordé composaient un triste duo, mais il ne se découragea pas. En fait, plus il y mettait d'ardeur, plus l'instrument se révélait à lui. Il pouvait le sentir s'éveiller sous ses doigts. Chaque jour, sa voix devenait plus sûre de ses moyens, et, à chaque ritournelle, son cœur vibrait un peu plus fort. Oluc, surpris par cette ferveur soudaine, accepta de bonne grâce le désir de son neveu. Tolain jouerait du luth, soit, mais pas sans suivre quelques leçons. Le résultat fut plus que probant. En quelques semaines, Tolain interprétait déjà toutes les chansonnettes à la mode, ce qui lui valut l'estime de ses amis, avec, en prime, le goût de continuer à jouer.

Bien sûr, il avait toujours aimé la musique, mais comme simple auditeur, sans plus. Jamais il n'avait pensé pouvoir en jouer lui-même. Jamais il n'avait cru pouvoir partager la passion de ces troubadours qui erraient, de village en village, l'éclat de la fête au fond des yeux. Jamais il n'avait espéré aussi douce destinée.

2

C'est à la Chouette Moqueuse que Tolain fit ses débuts. En basse saison, l'auberge était peu fréquentée par les voyageurs, mais la terrasse, à laquelle Oluc se dévouait, accueillait le soir de vieux habitués. Conquis par les délices inavouables de sa table et la rondeur réjouissante de ses tonneaux, tous s'entendaient pour louanger les charmes de son jardin. Bordée d'une haie de petits sapins tout ronds – Oluc s'obstinait à préférer le sapin aux cèdres –, une arche joliment fleurie y donnait accès. Deux petites portes de bois, peintes avec éclat, battaient au vent comme pour inviter les passants à entrer. Dès les premiers pas, une passerelle franchissait d'un bond une rivière de gros massifs parfumés. Des pétunias, des marguerites, des jonquilles, puis l'ombre de vieux saules. L'ombre de l'ami qui a tout compris. L'ombre qui réconforte. De l'autre côté du jardin, de grandes tables rondes étaient prêtes à recevoir les habitués de la dernière heure.

Aussitôt que les convives y prenaient place, la nuit, d'un seul coup, s'enflammait. De hautes bougies étaient allumées au milieu de chaque table, et, accrochées aux arbres, d'innombrables lanternes égayaient la fête de leurs flammes curieuses. Des lanternes aux couleurs délicates et aux formes souriantes, et qui menaient de branche en branche leur ronde chaleureuse. Oiseaux, fleurs et étoiles étaient suspendus juste là où il le fallait, si bien que, si l'une des lanternes s'éteignait, toutes les autres semblaient désorientées. Mais Oluc y voyait, et, quelle que soit la saison, leur lumière brillait dès le coucher du soleil.

Mais, il faut bien le dire, ce n'était pas les fameuses lanternes qui fascinaient Tolain. Tout au fond de la cour, telle une île magique émergeant de l'herbe, avait été installée une petite scène. Une scène de bois qu'Oluc avait peinte en rouge comme tout le reste.

Jamais une petite scène de bois n'avait paru aussi grosse. Aussi grosse et aussi terrifiante. Tolain ne cessait de la mesurer du regard. Tout son avenir se tenait là, immobile devant lui. Il hésita longtemps avant d'y monter, luth à la main, et plus encore avant d'y risquer autre chose qu'une simple ritournelle. Quant aux airs qu'il composait, il n'aurait probablement jamais osé les interpréter sans l'insistance de son oncle.

C'est une soudaine averse qui, l'ayant contraint à trouver refuge à l'intérieur, avait fait découvrir à Oluc les secrètes tentatives de son neveu.

— Cet air est merveilleux! s'était-il exclamé. Je n'ai aucun souvenir d'avoir entendu quelque chose de semblable. Comment l'appelle-t-on?

— Je ne sais pas, avait répondu Tolain, visiblement mal à l'aise.

Il n'aimait pas être dérangé lorsqu'il pratiquait et, encore moins, lorsqu'il s'agissait de ses propres pièces. Seuls les vieux maîtres en connaissaient assez pour composer de la vraie musique. Qu'un gamin de son âge essaie d'en faire autant n'était pas seulement prétentieux, mais ridicule. Son professeur le lui avait maintes fois répété, mais Tolain ne pouvait résister à l'envie de tenter sa chance.

- Cet air n'a pas de titre, je veux dire, pas encore…

— Quoi ? Cette chansonnette est de toi ?

— Oui…

— Tu l'as composée, comment dire… comme ça ? questionna Oluc en agitant bêtement la main vers le ciel.

— Comme ça, fit Tolain en l'imitant.

— Tu dois jouer cet air ce soir ! s'écria Oluc en plaquant d'un seul coup ses larges mains sur ses cuisses. Ce soir même !

— Je ne peux pas. Je n'ai pas encore terminé…

— Je ne veux rien entendre… Non ! Au contraire ! Je veux tout entendre, lança Oluc. Tout ! Joue, petit coquin ! Joue pour ton vieil oncle et, surtout, n'oublie aucune note !

Tolain s'exécuta. Certaines mélodies n'étaient que des répliques d'airs connus, mais d'autres, qu'il avait patiemment élaborées, étaient très originales. Elles évoquaient de lointaines vallées, des rivages aux trésors insoupçonnés, des forêts aux parfums inconnus. En chacune d'elles vibrait l'écho de ce monde perdu dont rêvait secrètement Tolain.

Oluc les écouta jusqu'à la dernière sans dire un mot. C'était comme si la voix de la forêt plongeait ses racines au fond de lui et fertilisait son bon vieux cœur qui, spontanément, s'était mis à battre plus fort dans sa poitrine. La musique donnait chair à son âme, l'enveloppait des humeurs d'une nature tout imaginaire.

— Le petit a du talent ! se réjouit Oluc.

Tolain joua donc pour les clients de l'auberge. Lors d'événements spéciaux, pour débuter, puis lorsque Oluc jugeait que les nouvelles créations, toujours plus nombreuses, étaient prêtes pour le public. Tolain s'en remettait entièrement à son oncle qui, en la matière, faisait preuve d'un flair infaillible.

— Surtout, n'en retranche aucune note ! disait-il parfois. Cette ballade est aussi émouvante et fragile qu'une fleur. Tu risquerais d'en ternir la couleur ou d'en étouffer le parfum.

Ou encore il déclarait :

— Celle-ci est devenue si grande qu'elle ne laisse plus passer aucune lumière. Il faudrait en réduire la taille, alléger un peu le tout, si tu vois ce que je veux dire. Quelques mesures en moins devraient suffire à en révéler l'unique beauté.

C'est ainsi que, poussé par l'enthousiasme éclairé de son oncle, Tolain travaillait. Quand tout était à point, rejoué et corrigé, le vieil Oluc ne cachait pas sa satisfaction.

— Ces nouveaux airs sont de loin mes favoris, clamait-il chaque fois. Il n'y a pas à en douter, tu vas encore faire un triomphe. Vraiment !

Oluc ne s'était jamais trompé. Les encouragements de la foule lui donnaient habituellement raison dès les premières notes. Idéal pour chasser la nervosité qui terrassait Tolain à chaque représentation. Ces gens étaient tous ses amis. Les amis de la musique. De semaine en semaine, ils venaient l'entendre, toujours plus nombreux.

— Ces soirées sont magiques ! répétaient les visiteurs émerveillés.

Mais Tolain prêtait peu d'attention à toute cette agitation. Il était occupé à perfectionner son art, à écouter son cœur, et ne réalisait pas pleinement l'engouement que provoquait sa musique. L'intérêt dont il faisait l'objet était dû à la renommée extra-ordinaire que lui avaient bâtie ses amis, plutôt qu'à la juste compréhension de sa poésie. C'est du moins ce que croyait le jeune artiste et, pendant longtemps, il se consacra à sa nouvelle passion comme s'il ne s'agis-sait que d'un jeu.

IV

Le sentier d'épines

1

Le jour où l'empereur Sidrien VI passa la porte de la Chouette Moqueuse, la vie de Tolain bascula. En effet, la prestation qu'il livra ce soir-là devant le roi Netho et ses invités le fit passer, comme par enchantement, du statut de débutant à celui d'artiste reconnu. En une seule soirée, le jeune cuisinier était devenu un musicien respecté, ce qui signifiait que le pauvre n'avait pour ainsi dire plus une journée de répit. En quelques semaines seulement, les fêtes et les anniversaires semblaient s'être miraculeusement multipliés par quatre. Tous les matins, les cloches de l'église annonçaient la nomination d'un nouveau saint. Tous les jours, devant la porte de l'auberge, on plantait un grand écriteau aux couleurs de festival et, tous les soirs, on affichait complet. C'était comme si la musique de Tolain avait éveillé la mémoire de tout le pays, et que chacun de ses habitants s'employait à reprendre le temps perdu.

Noble ou paysan, chacun voulait s'assurer que la petite fête qu'il projetait soit couronnée de succès, et tous les gens de Térinor réclamaient la participation de Tolain. On ne voulait plus que lui. On ne dansait plus que sur ses airs aux accents joyeux. On ne s'attendrissait plus que sur ses ballades au souffle brûlant, et, chaque soir, Oluc se félicitait d'avoir déterré ce petit luth du grenier.

L'auberge fonctionnait à plein régime, et il s'en réjouissait. De son côté, Tolain était désormais trop occupé pour lui donner un coup de pouce. Oluc devait donc mener seul les affaires de l'auberge. Mais le vieil homme ne s'en plaignait pas. Il travaillait sans s'arrêter, même si, malgré toute sa bonne volonté, la machine s'essoufflait de plus en plus et qu'il se sentait parfois très fatigué.

Néanmoins, il préférait voir les doigts de Tolain gratter son luth plutôt que de farcir les poulets ou récurer les casseroles. Cette musique était un don du ciel et il ne souhaitait qu'une chose : entendre Tolain jouer encore et encore. Entendre le luth du Rougeaud vibrer sous ses doigts tandis que, dans les coffres de l'auberge, comme une bénédiction, tintaient les pièces d'or.

2

C'est à ses coffres qu'Oluc songeait lorsque, pour la première fois, il sentit que quelque chose n'allait pas. Il s'était éveillé très tôt, comme il le faisait tous les jours depuis tant années. Mais, cette fois, il ne s'était pas levé. Il n'avait pas quitté son lit, et sa veste était restée suspendue au crochet, derrière la porte de sa chambre. Une étrange sensation l'oppressait. C'était comme si son cœur ensommeillé avait décidé de poursuivre son odyssée nocturne sans se soucier de l'heure. Sans se soucier de lui.

C'est alors qu'il remarqua, assis au pied de son lit, un vieux casse-bois qui l'observait en silence. Oluc crut d'abord que c'était celui qui lui avait remis l'enfant, il y avait maintenant bien des années de cela. Mais il se ravisa. Celui-ci, sous son large capuchon, avait une sinistre figure qu'il n'avait jamais vue auparavant. Une figure digne des pires cauchemars.

— Comment êtes-vous entré ici ?

— Peu importe, marmonna l'étranger. Te voici arrivé au bout du chemin.

— Mais j'ai encore trop à faire, répondit Oluc, le souffle coupé. Beaucoup trop ! Je dois me lever.

— Alors, ce sera la dernière fois, ricana l'inconnu. Dans quelques heures, le Maître-Feu te rappellera à lui. Mais, sois tranquille, je serai là pour te guider.

À chaque mot, une odeur d'encens se répandait autour de lui. Après avoir prononcé ces quelques paroles, l'affreux personnage se leva et quitta la pièce.

C'est Pioche qui, comme tous les matins, venait chercher du côté de l'auberge un supplément à son petit déjeuner, trouva Oluc inanimé dans le jardin. Il était assis à une table, un large râteau à ses pieds. Le brave homme avait taillé la haie, tondu la pelouse, arrosé les fleurs et nettoyé la terrasse, puis s'était assis pour mourir, comme une simple feuille tombée d'un arbre. C'est du moins ainsi que fut rapportée la nouvelle d'un bout à l'autre du royaume.

Dès le lendemain, les mots « À vendre » avaient remplacé l'énorme panneau « Bienvenue à tous ! » qu'Oluc avait fixé sur les battants de la porte le jour où il avait converti sa vieille maison en auberge. Dès qu'il vit ces mots, Tolain comprit que plus rien ne serait comme avant, ni pour lui ni pour personne au village. La Chouette Moqueuse ne serait bientôt plus qu'un souvenir. Qu'une pause heureuse entre les récoltes et les semences des belles années. En un instant, tout avait été perdu. Tolain en voulait au destin qui, après l'avoir séparé de ses parents, le détroussait pour une seconde fois. Maintenant, il en était persuadé : il ne serait heureux que le jour où il découvrirait ce pays qui lui manquait si cruellement.

3

Sans les conseils de son oncle, Tolain se retrouva bien démuni. Sa musique ne cessait de gagner en popularité et il ne savait plus très bien où donner de la tête. Ses chansons étaient adoptées par tout le monde, des enfants jusqu'aux plus vieux. Les paysans les chantaient, car leurs travaux, disaient-ils, s'en trouvaient allégés. Les amoureux les chérissaient et leur attribuaient le pouvoir de fortifier les passions. D'étonnantes superstitions naissaient au sujet des mélodies les plus anodines. Celle-ci pour les plantes, celle-là pour les maux de ventre. On n'avait pas vu pareil engouement depuis l'époque de ce Rougeaud qui, le premier, avait chanté le petit pays.

En vérité, les chansons de Tolain étaient libres. Elles volaient de leurs propres ailes sitôt libérées du luth qui les abritait. Mues par un souffle infaillible, jamais plus elles ne s'arrêtaient. Il y avait toujours quelqu'un, quelque part, qui reprenait un refrain, sifflait une mélodie, marquait la mesure du pied. C'était comme si les airs du musicien touchaient pour toujours le cœur des êtres qui l'entouraient.

Mais, depuis la disparition d'Oluc, Tolain aspirait à autre chose. L'exubérance de la fête l'épuisait. Il avait besoin de repos, de se retrouver seul, du moins pour un temps. Tous les matins, il revêtait sa large cape, se coiffait de son grand chapeau noir et partait en forêt. Derrière lui, aussi obstiné que l'ombre qui colle à nos pas, suivait Pioche. Le jeune homme était désormais son seul compagnon, et le chien ne le perdait plus de vue un instant.

Plus que tout, Tolain bénissait le silence des arbres, admirait leur muette approbation du temps qui passe. Il les chérissait tous comme des êtres aux cœurs fidèles et attentifs, comme des amis véritables. Aussitôt passé le ruisseau, Tolain prenait son luth et jouait pour eux. C'est là, au creux des bois, que la voix de son instrument lui semblait la plus naturelle, la plus belle, et, tout en marchant, il ne pouvait s'empêcher de courtiser le silence de ses plus beaux accords. Lentement, son jeu se mêlait aux douceurs du vent, comme pour se glisser sous les draps parfumés de la forêt sans la réveiller. Peu à peu, le sentier abandonnait sa robe d'herbes, et il lui semblait que les vieux arbres oubliaient leur gêne et reprenaient leurs aises. Tout le peuple sylvestre se laissait bercer au son du petit instrument de bois.

Un jour, quelque chose d'étrange se produisit. Quelque chose de tout à fait inattendu. Comme il en avait l'habitude, il revenait en longeant le ruisseau tandis que Pioche s'entêtait à effrayer les oiseaux avec une touchante énergie. Soudain, Tolain aperçut le début d'un sentier. Un sentier couvert d'épines, courant allégrement sur l'herbe. Un sentier où il n'y en avait jamais eu auparavant. Tolain enfonça son chapeau sur sa tête pour se prouver qu'il ne rêvait pas. Se pouvait-il qu'il se soit égaré ? Pourtant non. Chaque arbre qui se dressait autour de lui était pour ainsi dire une vieille connaissance. D'où venait ce sentier ? Où menait-il ? Il n'y avait qu'une façon de le savoir et, une fois son chapeau bien en place, Tolain s'y engagea. Pas un instant, il ne s'embarrassa des protestations de Pioche. Toutes ces épines piquaient les pattes du malheureux chien, et il semblait résolu à ne plus faire un pas.

— Reste ici, petite cervelle de bois ! ordonna Tolain, heureux d'être un moment débarrassé de son compagnon.

4

Le sentier ondulait entre les collines, là où la forêt était la plus noire. Ces terres, Tolain le savait, avaient longtemps appartenu au Rougeaud. Celui-là même qui avait disparu, s'il fallait en croire ce cher Oluc, aux bras d'une fée. Tolain sourit en songeant aux merveilleuses histoires de son oncle. Le brave homme avait toujours eu beaucoup d'imagination.

Tolain avançait sans cesser un instant de jouer. C'était comme si son instrument avait ensorcelé le sentier et le faisait danser à ses pieds. À chaque pas, Tolain croyait s'approcher un peu plus de ce pays qu'il se plaisait à imaginer ; un pays où toutes les voix de la nature ne sont que musiques et harmonies, où tous les êtres vivants chantent comme un seul grand peuple.

«Jamais je n'ai été si près du but», espérait-il.

— Attention, étranger ! dit soudain une voix.

Tolain se retourna. Il scruta les feuilles dans les arbres mais ne vit personne. Pourtant, il n'avait pas rêvé. Quelqu'un lui avait parlé. Quelqu'un était là, avec lui, dans l'ombre de la forêt.

— Ici ! Regarde !

Rien. Toujours rien, ni devant ni derrière. Seuls les arbres, complices silencieux, l'entouraient de tous côtés.

— Tu n'es pas seul sur ce sentier, se moqua la voix.

Se matérialisant à travers la grisaille des feuilles et des branches, une petite silhouette apparut. Elle semblait appartenir à la forêt, tissée à même le cœur noir des arbres.

« Un casse-bois ! » pensa Tolain cherchant à voir ses traits desséchés sous son large capuchon. À chaque pas, ses membres habillés de paille, faisaient entendre un craquement sinistre, tandis que ses pieds, chaussés de curieux sabots d'herbes vertes, glissaient sur le tapis d'épines en laissant derrière eux un imperceptible et inquiétant murmure.

Tolain savait que bien des êtres préféraient vivre dans la forêt, loin de Térinor. Et même si le prince Nimir avait prouvé à la face du monde qu'il n'était pas nécessaire d'être un géant pour accomplir de grandes choses, plusieurs de ces petits hommes s'y cachaient toujours. Celui-ci avait le dos courbé et paraissait très âgé, et ce détail, loin de rassurer Tolain, l'indisposa encore un peu plus. Le cœur sauvage du casse-bois ne cachait-il pas des envoûtements au pouvoir oublié, des malédictions des temps anciens ? Tolain en était convaincu et cherchait déjà une façon polie de lui fausser compagnie.

— Tu n'as jamais été seul sur ce sentier, commença l'homme des bois sans relever la tête. Ce sentier t'a trouvé, comme il nous a tous trouvés. Par-delà les saisons, il voyage sans se perdre, et ceux qui s'y aventurent n'en verront jamais la fin.

Tolain écoutait la voix aux accents mystérieux, sans comprendre un mot de ce qu'il disait. Une chose était sûre : mieux valait ne pas s'aventurer plus loin sur ce sentier inconnu.

— Ce sentier mène à un endroit caché au plus profond de la forêt. Il gravit les collines, rampe sous les racines, accompagne les ruisseaux dans leur course folle. Même les murs ténébreux, qui se dressent à l'ouest, ne peuvent l'arrêter.

— Les murs ténébreux ?

— Les murs d'un temple construit il y a fort longtemps et maintenant abandonné des dieux : le Temple de la Nuit.

« De l'autre côté des collines ? Ce sont les terres sauvages, rien d'autre, pensa Tolain. Ce casse-bois raconte n'importe quoi. »

— C'est là-bas que disparaissent les rêves lorsqu'ils sont oubliés. Comme des oiseaux à l'approche de l'hiver, ils migrent dans la chambre des mystères quand l'heure de leur mort est venue. Là, ils sont gardés en vie et conservés pour les générations futures.

— Et c'est là que vous vous rendez ?

— Je suis le berger de tous les rêves moribonds, expliqua le casse-bois en désignant les ombres qui planaient au-dessus de son lourd capuchon. Au Temple de la Nuit, nous sommes attendus.

Jamais Tolain n'avait entendu une histoire pareille. Mais, venant d'un casse-bois, cela ne le surprenait guère. Les habitants des terres sauvages obéissaient à d'étranges croyances et aimaient bien se frotter aux puissances occultes qui régissaient la vie des esprits. Après tout, si ce vieux bonhomme voulait disparaître à l'intérieur d'un temple secret, libre à lui. Pour sa part, Tolain ne trouvait pas l'idée si mauvaise, surtout s'il prenait soin de bien verrouiller la porte derrière lui.

— Suis-moi, le sentier ne nous attendra plus très longtemps. Nous avons déjà trop tardé.

— Pardon ?

— Tu dois venir avec moi avant que le sentier ne disparaisse. Sinon tu ne retrouveras jamais ta route et tu erreras à jamais dans la forêt !

Tolain était estomaqué. Pour être franc, il n'était pas du tout persuadé de vouloir visiter le temple de tous ses rêves déchus.

— Allez ! s'impatienta le casse-bois en agrippant le manche du luth avec fermeté.

Sa main était noire et ses doigts cornus comme ceux d'un gobelin des premiers royaumes. De ses longues griffes, il gratta les cordes qui vibrèrent d'une affreuse façon. Tolain ne put s'empêcher de frissonner en entendant le terrible accord surgir de son instrument.

— Je ne peux pas. Je dois jouer… ce soir ! s'exclama-t-il en ramenant le luth contre lui pour le protéger des mains du sombre personnage, sacrifiant un bouton de sa veste dans sa hâte. Ce soir et aussi demain ! Oui, demain et tous les autres jours ! cria-t-il en rebroussant chemin.

5

Pioche accueillit le retour de Tolain en aboyant de gratitude. La forêt lui rendait son maître sain et sauf. Une fois au village, Tolain souriait déjà en pensant à l'incident. Cette panique qui s'était emparée de lui était ridicule. La forêt peut provoquer d'étranges sentiments, abriter de secrètes émotions, tout le monde sait cela. La moindre rencontre, le moindre événement inattendu, y prend d'étonnantes proportions. L'ombre des vieux arbres l'avait surpris. Il s'était fait avoir comme un enfant. La seule chose qui le contrariait était cette marque que les griffes du casse-bois avaient laissée entre les cordes de son instrument. Elle serpentait dans les veines du bois, noire et profonde, et Tolain ne voyait pas comment il pourrait la faire disparaître. Il se consola en se disant que les cordes étaient demeurées intactes et que seul un bouton de sa veste manquait à l'appel.

Le soir venu, Tolain se rendit à l'auberge où il devait jouer. Une foule nombreuse l'attendait et c'est avec joie que fut acclamée l'arrivée du plus populaire des ménestrels. Son chapeau accroché, Tolain s'installa sur scène pour débuter son numéro. L'excitation était à son comble et le ravissement se dessinait déjà sur les visages silencieux ; visages tendus pour capter le moindre souffle, surprendre le moindre geste, s'approprier la moindre émotion. La salle était conquise et prête à danser et à chanter avec son héros jusqu'au matin. Mais, entre les mains du troubadour, le luth resta sans voix. Tolain cherchait les premières notes de sa musique. Il n'arrivait pas à les retrouver et cela le fit d'abord sourire. Comment pouvait-il les avoir oubliées ? Mais, après un moment, toujours silencieux, il fixa d'un air préoccupé les cordes de son instrument. Il tenta de retrouver une bribe, un extrait, une mélodie ou le début d'un rythme. Rien. Le vide. La musique demeurait immobile au fond de lui.

Le vertige qui s'empara de Tolain dura de longues secondes. Certains clients se mirent à lui souffler les titres les plus populaires de son répertoire, croyant qu'il ne parvenait pas à se décider pour l'une ou l'autre de ses chansons. Espérant peut-être les encourager, Tolain pinça une corde au hasard. Un son étranglé et disgracieux surgit de l'instrument. C'était pire qu'un cauchemar, c'était la honte ! Une à une, il accorda les cordes de son luth, sachant très bien que c'était inutile ; l'instrument était en excellente condition, chaque corde parfaitement tendue et prête à se faire entendre. Il n'y avait rien à faire. Malgré toute sa bonne volonté, il était incapable de jouer une seule note digne de ce nom. La foule s'impatientait. On sifflait, chahutait. On murmurait aussi. On murmurait que, sans ce vieil Oluc – Num ait son âme ! –, le jeune Tolain n'était plus que l'ombre de lui-même. Qu'il avait perdu le feu sacré. Pour leur donner raison, quelques-unes de ces malheureuses soirées se succédèrent en peu de temps. L'annulation pure et simple des spectacles suivants finit par convaincre les plus sceptiques : le Tolain qui les avait séduits semblait bel et bien mort. Les ballades et les refrains du plus grand barde à avoir vu le jour dans tout leur royaume gisaient, ensevelis aux côtés de son vieil oncle. Ils étaient morts ensemble. Tous les deux. Cela paraissait évident. Sans le génie d'Oluc pour le supporter, Tolain avait pour ainsi dire perdu le droit d'exister. Il pouvait s'excuser autant qu'il le voudrait, cela ne changerait rien à l'affaire. Désormais, on parlerait de lui au passé.

V

Le trône de pierre

1

Avec le temps, Tolain réussit à chasser la torpeur qui l'avait paralysé. Il se remit à jouer, mais la passion qui, jusque-là, l'avait guidé, n'était plus qu'un souvenir. Ses doigts hésitaient, trébuchaient là, où, hier encore, ils s'envolaient triomphants. Maintes fois acclamées, ses prestations avaient perdu de leur magie et sa voix, bien que belle, était teintée du désarroi qui grandissait dans son cœur. Toute une partie de son être s'était égarée sur ce mystérieux sentier qu'il avait découvert dans la forêt. Ce casse-bois qu'il y avait croisé lui avait dérobé ce qu'il avait de plus précieux, de plus intime. Il s'était enfui avec sa musique, avec son talent.

« Ce casse-bois n'était pas un berger de rêves perdus, mais un voleur de grands chemins », philosopha Tolain.

Il en voulait à l'inconnu qui lui avait lancé ce sort funeste. Il décida de le retrouver, même s'il devait pour cela suivre ce sentier jusqu'aux terres sauvages. Même s'il devait errer à jamais dans la forêt.

« Je le jure ! » murmura-t-il, tandis que son visage s'assombrissait tel le ciel avant l'orage.

Même s'il se souvenait parfaitement de l'emplacement et qu'il l'eût reconnu entre mille, Tolain ne retrouva pas le sentier du premier coup. Un peu plus à droite, ou quelques pas à gauche, derrière un buisson ou caché par un rocher, on aurait dit que le mystérieux sentier redoutait d'être découvert, comme ça, par hasard, sous les pas d'un voyageur distrait. Étrangement, dans ces circonstances, le flair de Pioche n'était d'aucun secours. Au contraire, les gémissements insistants du chien cherchaient à attirer son maître hors de la forêt. Tolain poursuivait ses recherches depuis quelque temps, et chaque fois, c'était la même histoire. Le sentier se dérobait aux regards, et il devait se débrouiller seul pour le retrouver. Le sentier avait-il disparu ? Ou bien s'était-il égaré ? Envahi par le doute, il songea souvent à abandonner ses recherches. Mais il sentait que le sentier était là, quelque part, et, tôt ou tard, il finissait toujours par mettre le pied dessus.

Pas une seule fois, au cours de ses promenades, il n'avait revu le casse-bois. À maintes reprises, il avait cru entendre son pas grinçant ou le froissement de ses paniers d'herbes tressées, mais jamais il ne l'avait rencontré.

Lorsqu'il découvrit le sentier ce jour-là, les derniers rayons du soleil embrasaient la cime des arbres. Malgré la nuit qui approchait, Tolain ne pouvait résister au désir de poursuivre sa quête, de se mesurer à ce mystère qui l'appelait au loin. Pourtant, il hésita un long moment en voyant qu'un arbre tombé bloquait l'entrée du sentier. Il était facile d'y voir un signe, un avertissement. La promesse que, s'il l'enjambait, il continuerait à ses risques et périls. Conscient de braver la volonté de la forêt, il posa le pied sur le tronc brisé et sauta de l'autre côté.

Les pleurs et gémissements de Pioche, convaincu que le sentier était un piège posé sur l'herbe par les grands arbres pour lui ravir son maître, furent inutiles. Tolain voyait le sentier s'enfoncer loin, très loin sous les bois. Toute la forêt l'attendait. De quelques mots rapides, il calma le chien, puis il disparut sans se retourner.

Le sang de Pioche ne fit qu'un tour. Ces maudites épines lui piquaient les pattes, mais il ne pouvait laisser cette sombre forêt lui voler son dernier compagnon. Avec prudence, il rejoignit son maître sous l'ombre des arbres noirs. L'air y était pesant, et aucune brise ne soulevait les feuilles. Autour de lui, le chien ne sentait plus battre la vie. Plus aucun oiseau sur les branches, plus aucun écureuil à pourchasser. Il marchait sur cet étrange sentier, la nuit collée à la peau comme une malédiction. Tout autre que lui aurait fait demi-tour. Mais Pioche était issu d'une race têtue et fière et il suivit Tolain sans fléchir. Jamais il n'abandonnerait son maître.

2

Tolain marchait, son luth muet sous sa longue cape. Le sentier le conduisait dans des parties de la forêt dont il n'avait jamais soupçonné l'existence, et la curiosité le poussait toujours plus avant. Ses pas gravissaient des collines si anciennes qu'il avait l'impression que l'ombre des jours passés pesait sur chaque chose. Autour de lui, les arbres étaient de plus en plus gros et certains, parmi les plus imposants, semblaient dominer depuis toujours cet étrange pays.

Après de nombreux détours, il arriva enfin à une clairière qui s'ouvrait sous le toit bruissant de branches centenaires. Une clairière aux rivages aussi nets que ceux d'un étang. De leurs bras lourds de feuilles et de vent, les arbres avaient édifié une vaste salle au cœur même de la forêt. Tolain se tenait sur le seuil de cette chambre ancestrale, contemplant l'admirable voûte qui se balançait au-dessus de sa tête. C'était une nuit sans nuages, et l'éclat de la lune tissait son rêve argenté parmi les branches. De ses froids rayons, elle démasquait les ombres et les chassait de la clairière.

« Quel endroit magnifique ! » songea Tolain, envahi par cette paix qui l'entourait.

Pioche avait continué seul et s'arrêta au centre de la clairière. Il y découvrit un petit monticule d'herbes sur lequel quelque chose se dressait. Il en fit le tour, battant l'air de sa queue, visiblement fier de sa trouvaille. Tolain, à cette distance, n'arrivait pas à distinguer de quoi il s'agissait. Intrigué, il s'approcha.

Il vit alors, planté dans la terre comme s'il y avait poussé, un trône de pierre noire d'apparence très ancienne. Il était taillé d'un seul bloc et, sur son haut dossier, était gravé un arbre à sept branches. À l'extrémité de chacune d'elles, pareille à une étoile, brillait un petit cristal. À droite de l'arbre, un croissant de lune était dessiné, et à gauche, un soleil rayonnant.

Il n'y eut aucun doute dans l'esprit de Tolain : ces symboles primitifs étaient ceux des casse-bois. Les traits, courts et rapides, étaient faciles à reconnaître. En effet, beaucoup de paysans possédaient une de ces petites statuettes que les hommes des terres sauvages taillaient dans la pierre. Ces talismans éloignaient, disait-on, les mauvais esprits. Ils étaient marqués d'un symbole dont seuls les casse-bois connaissaient le sens véritable, et qui garantissait la paix de l'âme. Tolain ignorait s'il s'agissait d'une simple superstition, mais il avait toujours considéré les étranges inscriptions avec prudence. D'après le récit des voyageurs qui avaient parcouru les terres sauvages, des statues semblables, de taille beaucoup plus imposante, gardaient les forêts du pays noir. Elles étaient à l'effigie de Lufévon, leur père et saint patron, et une seule d'entre elles pouvait éloigner les loups ou la foudre sur des hectares. De la même façon, une petite statuette assurait protection et bonheur à celui qui la portait, ainsi qu'à toute sa famille et à ceux qui vivaient dans son entourage. Mais l'étrange symbole avait un double sens. Par un sombre artifice imaginé par les casse-bois, les bienfaits de la statuette pouvaient se retourner contre son propriétaire s'il s'écartait un peu trop du sentier tracé pour lui. On racontait de sinistres histoires à ce sujet.

Soudain, Tolain aperçut quelque chose qui brillait sur le trône.

«Ça alors!»

Posé sur le siège de ce trône ancestral, le bouton de sa veste scintillait sous la lumière de la lune. Surpris, Tolain ramassa le bouton doré en se demandant comment il avait pu arriver là. Le casse-bois qu'il avait croisé s'en était-il emparé ? Était-il venu jusqu'ici ? Si oui, le bouton pouvait avoir glissé de sa poche alors qu'il se tenait assis sur ce trône étrange.

« À moins qu'il ne l'ait déposé là lui-même », songea Tolain en regardant nerveusement autour de lui.

Il sentait que cette nuit allait être particulière. Il en pressentait la gravité jusqu'au fond de ses os. Mais il aurait été bien embarrassé d'expliquer la présence de ce trône en pleine forêt. Tout ce qu'il pouvait dire, c'était qu'une puissante magie était enracinée dans cette terre. Une magie qui soufflait sur l'herbe, montait dans les arbres, guidait les rayons de la lune. Rien n'y échappait et Tolain ne put longtemps y résister. Faisant fi des casse-bois et de leurs sortilèges, il monta sur le trône et s'assit sur la pierre froide. Très doucement, il fit chanter les cordes du luth sous ses doigts. Les notes s'élevèrent en une mélodie inspirée, limpide. On aurait pu croire qu'il avait retrouvé son don. La musique résonnait dans la chapelle sylvestre, et toutes les créatures de la forêt tendaient l'oreille. Même Pioche, pour une fois, battait la mesure de sa queue.

3

Tout en jouant, l'attention de Tolain fut attirée par l'ombre d'un vieil arbre rabougri qui se trouvait devant lui. S'il devait en croire ses yeux, l'ombre était celle d'un oiseau magnifique. Il distinguait parfaitement sa tête, son bec, son plumage se découper sur l'herbe. Jamais il n'avait observé quelque chose d'aussi curieux. Cette ombre insolite paraissait plus réelle que le tronc auquel elle ne semblait que momentanément arrimée. Tolain eut soudain l'étrange impression que, si l'ombre déployait ses ailes et s'envolait, l'arbre périrait aussitôt. C'était son corps immense, perdu au milieu des herbes, qui, de ses mouvements mystérieux, faisait frémir ses feuilles et agitait ses branches. L'arbre n'était que le reflet de sa vitalité secrète.

Étonné, Tolain s'attarda à observer les environs. Tout autour de la clairière, formant un large cercle, d'autres arbres projetaient, eux aussi, des ombres fantastiques. Par ici un loup, par là, un cheval, plus loin un cerf. Leur ronde silencieuse encerclait la clairière. Tolain sourit en voyant ces ombres sauvages qui dansaient sous la lune. Il s'amusa à suivre leur galop, à imiter leur chant primitif. Comme dans son rêve. Comme sur son luth.

« Par tous les démons ! » murmura-t-il en saisissant l'instrument de ses deux mains.

Pendant un instant, il avait vraiment cru que les figures peintes sur la caisse de son luth couraient librement dans la clairière. Pendant un instant, il était passé dans ce pays imaginaire qu'il avait tant cherché. Il avait vu les animaux danser autour des arbres. Leur chœur haletant avait fait gémir la terre, là, sous ses pieds. Tolain serra le luth tout contre lui. Il s'y accrocha comme à une bouée.

« Je rêve ! Ce pays ne peut exister », se répéta-t-il en cherchant des yeux la preuve qu'il se trompait. En quel lieu étrange venait-il de mettre les pieds ? La musique l'avait-elle guidé jusqu'au pays qu'il avait autrefois imaginé ?

« Non ! Tout cela est la faute du casse-bois ! C'est lui qui provoque ces sombres envoûtements. Cette clairière est sa demeure ! » réalisa-t-il, effrayé.

Soudain, les ombres qui l'entouraient se levèrent pour tout recouvrir. Un à un, les grands arbres disparurent, noyés dans l'obscurité. Tolain n'y voyait plus rien. Il se retrouvait tout à coup précipité dans le vide. Seul élément rassurant, la présence familière de Pioche à ses pieds. Ne sachant trop comment réagir, il se leva pour quitter ce trône, qui semblait au centre de ce sortilège. À ce moment précis, il entendit un bruit derrière lui. Il se retourna, mais pas assez rapidement pour voir de quoi il s'agissait. Ce que Tolain distingua alors, au plus profond de la nuit, était si étrange, si inhabituel, qu'il se demanda s'il n'était pas en train de rêver.

Autour de lui, un col rocailleux avait remplacé les arbres qui bordaient la clairière. De lourdes pierres, aux arêtes pointues, formaient maintenant un cercle autour du trône, pareil au rempart d'un cratère. Au-delà, telle une montagne nimbée d'étoiles, un majestueux palais surgissait du néant. Tolain n'avait jamais rien vu de tel. Devant lui, les hauts murs semblaient surgir des profondeurs même de la terre. Ils se dressaient, antiques mais intacts, miraculeusement protégés de l'usure du temps. Côte à côte, deux colosses de pierre gardaient l'abrupt escalier qui conduisait au seuil du Temple. La fumée des rites magiques flottait autour d'eux en longues volutes écarlates et répandait dans l'air l'odeur de sacrifices innommables. Le brouillard ensanglanté s'échappait des souterrains qui s'ouvraient sous les pieds des géants pétrifiés et rappelait, par sa couleur, le souffle des pays infernaux.

« Le Temple de la Nuit », murmura Tolain.

Il se rappelait ce que le casse-bois lui avait dit. Derrière ces murs ténébreux reposaient les rêves oubliés des hommes. Des merveilles sans nom, dont personne ne gardait le souvenir, étaient cachées dans ce temple stupéfiant.

Soudain, il aperçut le casse-bois, drapé dans sa cape d'herbes séchées. Il était accroupi dans l'ombre, sa petite silhouette se détachant à peine dans la nuit qui les entourait. Il était posté sur le dos d'une pierre, comme un animal à l'affût d'une proie, et semblait écouter quelque message porté par le vent. C'était le genre d'individu qui vous fige sur place et auquel personne ne souhaite être associé, mais de le retrouver avec lui en ce lieu inconnu rassura Tolain.

« Ce casse-bois doit connaître cet endroit ainsi que le chemin du retour », pensa-t-il pour se calmer un peu, pour se convaincre qu'il n'avait pas encore complètement perdu la tête.

— Ah, ah ! Maintenant tu le vois ! ricana l'étranger en sautant sur le sol. Le Temple de la Nuit ! Oui ! Tu l'as bien vu ! Arr ! Bienvenue ! Oui, bienvenue au Pays Sans Aube !

Tolain resta bouche bée. Avait-il bien entendu ? Le Pays Sans Aube ? Le Double Pays ? Cela paraissait insensé. Comme tous les garçons de son âge, il avait entendu parler des exploits du prince Nimir en ces terres lointaines. Il avait toujours rêvé de s'y retrouver, mais il n'imaginait pas que cela se passerait ainsi. En vérité, il ne s'était jamais douté qu'il puisse être si simple d'entrer au pays enchanté. Que la frontière entre l'ombre et la lumière était si aisée à franchir, qu'un enfant le pourrait dès son premier pas. Tolain leva les yeux au ciel, honoré de se voir accorder ce petit tête-à-tête avec les étoiles. C'était comme s'il venait d'attraper la vie par le bon jour. Azura ! Le pays des génies et des fées ! C'était extraordinaire !

«Jamais ce brave Oluc n'aurait pu imaginer ça!» songea-t-il en regardant droit devant lui comme s'il venait de recouvrer la vue.

VI

Aux portes de l'ombre

1

Une fois par an, lorsque venait le solstice d'été, l'étoile-fauve franchissait l'horizon. Une fois par an, l'astre complétait sa ronde phénoménale et déverrouillait les portes de la nuit. Celui qui se trouvait sur le trône de pierre à ce moment précis était transporté à Azura. Les casse-bois appelaient ce phénomène « le pas secret ». Cela fonctionnait de cette façon, car les filles de Num l'avaient voulu ainsi.

L'inconnu connaissait le mystérieux mécanisme et y avait attiré Tolain au moment opportun. Il préparait son coup depuis longtemps et l'attendait tranquillement. Il rejeta son capuchon et s'approcha pour accueillir le jeune visiteur. Tolain vit alors son visage à découvert pour la première fois. Ses traits étaient diaboliques et ses yeux noirs et sournois paraissaient très fatigués, comme si jamais le sommeil n'était parvenu à clore leurs paupières. Mais ce qui frappa surtout Tolain, ce furent les deux cornes qui pointaient de chaque côté de son crâne dégarni.

— Mais vous… vous n'êtes pas un casse-bois !

— Arr ! Un casse-bois ? Moi ? Jamais !

— Mais ce manteau de paille tressée ? Ce gourdin ? Et ces drôles de bottes ?

— Je les ai, comment dire, empruntés, ricana le repoussant petit personnage. Je suis Gorpo. Le dernier diablotin toujours debout au pays de Num, clama-t-il en redressant avec peine son dos rond.

Tolain recula d'un pas. Le petit diable était terrible et grotesque à la fois. On aurait juré qu'il s'était fait un tour de reins en quittant les profondeurs du monde et qu'une affreuse grimace lui déformait le visage depuis ce jour.

— Arr ! Sans cet accoutrement, j'aurais été chassé comme un vulgaire lapin. Les hommes sont si superstitieux qu'ils auraient planté ma tête au bout d'un pieu pour bien afficher leur ignorance aux yeux de tous. Mais je t'ai fait venir ici et c'est ça le plus important. Dès que j'ai entendu l'instrument, j'ai su que c'était toi. Arr ! Maintenant, c'est sûr : le maître me croira ! Le maître m'écoutera !

— Mais de qui parlez-vous donc ?

— Tu le verras bientôt. Sois sans crainte ! Tiens, bois ça. Tu en auras besoin. La nuit est froide, ça te réchauffera.

Tolain prit la petite gourde et goûta l'épais liquide qu'il contenait. Cela ressemblait à une mélasse épicée à la fumée noire. Il s'étouffa en sentant sa gorge brûler sous l'effet de l'affreuse liqueur.

Soudain, des hurlements s'élevèrent dans la nuit. Ils se répondaient d'un côté à l'autre du col, pareils à des cris d'épouvante.

— Ça y est ! Ils ont senti notre présence, siffla Gorpo.

— Des loups ? s'inquiéta Tolain.

— Non, pire que des loups, des chiens-vampires.

La voix du diablotin avait tremblé en prononçant leur terrible nom. Les chiens-vampires étaient beaucoup plus gros que les loups, tels que nous les connaissons. Leurs pattes étaient armées de griffes noires comme celles des ours, dont ils avaient aussi la force. On les reconnaissait à leur pelage noir, taché de sang, ainsi qu'aux dents meurtrières qui pointaient de chaque côté de leur gueule démesurée. Leurs yeux monstrueux, qui avaient contemplé le ciel putride de l'Erkan, étaient hantés par la mort, et mieux valait ne pas croiser la route de la meute sanguinaire.

— Les chiens-vampires ne sont pas seuls. Autre chose vient avec eux. Oui, ils sont tous là maintenant.

Tolain ne répondit pas. Il comprenait parfaitement ce que le diablotin voulait dire par *autre chose*, puisque, lui aussi, il les avait aperçus, grimpés sur le dos des horribles chiens. Dans un nuage de poussières, les ombres de la nuit sortaient de terre et venaient à leur rencontre.

— Les bokwus! Les génies noirs! Arr! Le Pays Sans Aube a bien changé.

— Les génies noirs? répéta Tolain en frémissant.

— Des génies sauvages asservis par le Maître-Feu. Ils sont ses esclaves désormais.

Il n'a eu aucun mal à les ensorceler, car leurs nids ont été détruits lors de la chute de l'Arbre-Roi. Après cela, tous les génies étaient désorientés. Seuls quelques-uns d'entre eux ont ignoré l'appel de la nuit.

— Les génies de l'Arbre-Roi ? Eux ?

— Arr ! Je sais, ils sont terribles. Moi aussi, j'ai horreur de ces bestioles ! Soumis ou non, ces bokwus sont encore des génies sauvages à mes yeux. Écoute leur chant ! Ils sont devenus fous furieux ! Viens avec moi. Il y a un sentier qui descend un peu plus loin. Si on fait vite, on peut atteindre la porte du Temple de la Nuit avant eux.

— Allons-y.

Tolain ne se sentait pas le courage d'en dire plus. Ces simples mots lui semblaient un serment au pouvoir inconnu. Il allait suivre ce diablotin là où aucun vivant n'avait mis les pieds. Avec un peu de chance, il allait se glisser dans ce Temple comme une ombre, sans un bruit, sans un faux pas, sans une pensée. Avec un peu de chance, il échapperait à la fureur des bokwus et pourrait retourner chez lui.

2

La porte du Temple de la Nuit était taillée dans un seul bloc de cristal, froid et noir comme un ciel sans étoiles. Elle était si énorme, si lourde, qu'on ne pouvait imaginer que quiconque soit parvenu à l'ouvrir. Mais, dans le ciel, la lumière de l'étoile-fauve progressait. L'astre fugitif venait à peine de s'élever au-dessus des montagnes et, déjà, son éclat illuminait les marches du Temple. Lentement, sa lumière glissait vers la porte.

— Arr ! Nous devons nous hâter, insista le diablotin, de plus en plus nerveux. Il faut atteindre le sommet de l'escalier au moment précis où les rayons de cette étoile frapperont la porte de cristal. À cet instant seulement, nous pourrons passer et trouver refuge à l'intérieur.

Sans plus d'explications, il poussa Pioche devant lui qui, nerveux lui aussi, ne songea pas à protester. À la course, ils se dirigèrent tous les trois vers la porte du Temple.

Autour d'eux, ils pouvaient entendre le grognement impatient des bokwus qui surgissaient de terre. Montés sur les chiens-vampires, les horribles génies bondissaient des cavernes creusées de chaque côté du Temple. Ils étaient parfois quatre ou cinq à chevaucher la même bête, accrochés les uns aux autres comme une famille monstrueuse, se querellant pour savoir qui, des parents ou des enfants, seraient les plus odieux. Tous semblaient dans une colère terrible et leurs mots de pouvoir traversaient le ciel du Pays Sans Aube comme des boulets enflammés.

— Ruer ! Broyer ! Tuer !

Terrifié, Tolain les regardait envahir la plaine. C'était un spectacle ahurissant. Le corps des horribles créatures épousait toutes les formes ; des grands, des courts, des velus, des charnus. Des êtres à l'allure bizarre, comme si le moule avait éclaté avant que le mélange ne prenne vraiment. En fait, chaque partie de leur anatomie – leurs bras, leurs jambes, leur cou – semblait une blague de mauvais goût tant elle était disproportionnée, dégrossie. Pire, on aurait dit qu'à la suite d'un horrible jeu de hasard, la tête des uns s'était malencontreusement retrouvée sur le corps des autres.

« Ces génies sont une véritable abomination ! » pensa Tolain en frissonnant.

— Arr ! Nous y sommes presque ! s'écria le diablotin en guidant Pioche vers l'escalier qui menait à la porte.

Pioche grimpa les marches deux par deux. Il montait aussi vite qu'il le pouvait, et derrière, Tolain peinait pour le rejoindre. La meute était maintenant toute proche, et les crocs des chiens-vampires, aussi acérés que des poignards, brillaient avec l'éclat de fers meurtriers. Sur leur dos, les bokwus les frappaient pour les forcer à aller plus vite.

Les chiens-vampires prirent d'assaut l'escalier en hurlant d'une seule et terrible voix. Dans leur hâte, leurs lourdes pattes glissaient sur la pierre. Mais fouetté par la rage des bokwus, l'effroyable troupeau ne ralentissait pas. Leurs gueules énormes mordaient l'air devant eux, comme si, dans leur démence, ils cherchaient à dévorer la distance qui les séparait de leurs proies.

Mais l'escalier comptait de nombreuses marches et, une fois en haut, les lourdes bêtes, peu habituées à ce genre d'exercice, tiraient de la langue.

Pioche se retourna pour les affronter. Il menaça les chiens-vampires de ses grognements les plus féroces, et les horribles bêtes parurent surprises de voir tant de courage gonfler son petit museau retroussé. Quoi qu'ils fassent, ce stupide cabot s'entêtait à repousser tous ceux qui s'approchaient de trop près. Pourtant, une seule morsure de ces monstres aurait suffi à lui broyer les os ou à lui briser le cou. Mais Pioche était rapide, et leurs lourdes pattes l'apprirent à leurs dépens.

Exaspéré, un des génies grimpa sur la tête de l'énorme chien-vampire qu'il chevauchait et, hurlant dans une langue aveugle comme la vengeance, sauta sur le dos de Pioche. Ses doigts pointus lui empoignèrent les oreilles, s'enfoncèrent dans son museau, arrachèrent ses poils. Le pauvre Pioche se cabra. Il devait absolument tenir. Une chute au bas de cet escalier et c'était la fin. Debout sur ses épaules, le génie s'acharnait à lui faire lâcher prise. Il l'entraînait vers le vide, le frappait encore et encore. Une fureur diabolique l'animait. Pioche agitait la tête de tous les côtés sans réussir à s'en débarrasser.

C'est Tolain qui empoigna l'affreuse créature. De ses mains, il tira avec force et l'arracha du dos de Pioche. Là, tenant le génie noir à bout de bras, il croisa pour la première fois son regard. Le visage de Tolain devint livide. Devant lui, au fond des orbites noires et fissurées comme du bois calciné, dans la lueur sauvage des yeux sans paupières, c'était la mort elle-même qui l'observait. Elle le fixait avec l'appétit d'un fauve qui ne s'est rien mis sous la dent depuis une éternité. Incapable de supporter davantage l'affreuse vision, Tolain précipita le génie dans le vide. Il vit son corps noir se briser dans l'escalier comme un vulgaire pantin. Mais, déjà, d'autres bokwus les rejoignaient, la même expression terrible au fond des yeux.

C'est à ce moment que l'étoile-fauve, d'un premier rayon, frappa à la porte du Temple de la Nuit. Des hauteurs célestes, sa lumière plongea au cœur du cristal. En un éclair, elle glissa aux quatre coins du panneau, et là, inscrit dans le cœur du verre, le tracé d'une constellation s'illumina.

— Arr ! Enfin ! s'exclama le diablotin.

— Qu'est-ce que c'est ?

— Les sept palais de Num, tels qu'ils brillent, là-haut, dans le ciel. Dépêche-toi ! Nous n'avons que quelques secondes pour passer avant que la lumière ne quitte la porte.

Tolain remarqua alors que le réseau

étoilé indiquait une faille qui traversait le cristal dans toute sa profondeur. Une faille dont les détours secrets demeuraient invisibles aussi longtemps que la lumière de l'étoile ne descendait des cieux pour les révéler.

— Vite ! insista Gorpo.

Mais Tolain ne pouvait détacher les yeux de l'horrible scène qui se jouait au sommet de l'escalier. Le brave Pioche faisait l'impossible pour laisser à son maître le temps de franchir la porte. Il s'était lancé dans une attaque désespérée contre une bête dix fois plus imposante que lui. Le chien-vampire n'eut aucune pitié pour son adversaire. Il lui brisa les pattes d'un simple coup de gueule et le jeta dans les bras des bokwus. Tolain vit le poil du dos de son chien s'enflammer sous le feu des torches qui le frappaient. Le fidèle animal se sacrifiait, même s'il ignorait pourquoi Tolain devait entrer dans cet énorme édifice de pierre.

Sans attendre une seconde de plus, le diablotin tira Tolain dans l'étroit passage. Comme des ombres, ils traversèrent le seuil sacré.

VII

L'esprit du Maître-Feu

1

— Arr ! Nous avons réussi, dit Gorpo en se laissant tomber sur le sol.

— Pioche, pleura Tolain. Mon vieil ami… Ma petite cervelle de bois. Ils… ils l'ont tué !

Atterré, il n'avait plus qu'une idée en tête.

— Ouvrez cette porte. Je dois sortir. Je dois retourner le chercher.

— Tu es fou ! Ils vont te découper en morceaux avant que tu n'aies pu faire un seul pas ! Arr ! De toute façon, impossible de sortir sans l'autorisation du maître des lieux.

Tolain frappa le cristal de toutes ses forces. Une froide colère faisait trembler ses

91

mains et lui nouait la gorge. Jamais il n'avait été aussi révolté. Révolté et impuissant. Il voulut crier sa rage, mais l'horreur de ce qu'il avait vu le laissait sans voix. Plus que jamais, le poids de cette malédiction qui s'acharnait sur lui se faisait sentir.

Tolain comprit que, quoi qu'il fasse, il n'y avait aucun moyen pour lui de revenir en arrière. Cette fois, c'était bel et bien terminé : son fidèle compagnon ne marcherait plus jamais dans son ombre. En passant au Pays Sans Aube, le petit chien têtu l'avait suivi plus loin qu'il ne l'aurait dû. Il avait posé les pattes dans un lieu qui lui était étranger et, surtout, formellement interdit. Un royaume conçu pour les dieux et leurs semblables. Le petit Pioche s'était promené dans ce pays enchanté. Son nez curieux avait humé la rosée du paradis, fouillé sans comprendre sa terre noire d'éternité. Une seule chose avait compté, jusqu'à la fin : rester auprès de Tolain. Gentil et bon Tolain.

— Cet affreux cabot n'était pas ordinaire, admit le diablotin. Sans lui, nous finissions nos jours dans le ventre d'un de ces monstres.

Tolain ne répondit pas. Plongé dans les ténèbres, il était devenu sourd à ceux qui ne partageaient pas sa douleur. À travers la lourde porte de cristal, les silhouettes bondissantes des chiens-vampires paraissaient encore plus menaçantes. Grimpés sur leur dos, les bokwus continuaient à brandir leurs torches enflammées. Amplifiées par l'épaisseur du verre, leurs flammes jetaient des éclairs aveuglants, et Tolain en détourna le regard en frissonnant.

— Adieu, mon pauvre Pioche, soufflat-il, les yeux rougis par les larmes.

2

Remué par la disparition de son compagnon, Tolain ne prêtait que peu d'attention à ce qui l'entourait. La tête basse, il s'aventura dans la grande salle du Temple, imitant celui qui pourchasse ses pensées sans se soucier des détours que dessinent ses pas. Le plancher de cette salle était un grand miroir, sombre et profond comme un lac, et Tolain n'y voyait qu'une chose : son propre reflet qui l'accompagnait, suspendu à ses pas, comme un acrobate se balançant dans le vide. Il avançait à l'intérieur de cet obscur palais avec la curieuse impression d'être dans un lieu beaucoup plus vaste qu'il ne pouvait l'imaginer. Les événements l'avaient lâché là, comme une pierre que l'on jette pour mesurer un puits sans fond, et pour tout dire, cela lui était égal. Tout ce qu'il avait été jusqu'ici ne comptait plus. La réalité l'avait abandonné. Il ne pouvait pas tomber plus bas.

Pareille à une île rugissante, la lumière d'un feu immense grondait au centre du Temple. Son éclat fantastique imprimait sur les murs des fresques enflammées, tapisseries éphémères suspendues dans la nuit et sur lesquellles chaque petite flamme s'empressait d'inscrire son nom.

Tout autour du brasier, formant un large cercle, neuf énormes colonnes allaient se perdre dans les hauteurs. Reflétées par le sol de verre, leurs longues silhouettes semblaient monter des entrailles du monde. Étagères d'archives occultes, elles étaient entièrement couvertes de rayons, mais ceux-ci étaient vides et brisés. Tolain aurait bien voulu consulter les livres extraordinaires qu'ils avaient contenus. Il imaginait qu'ils avaient tous disparus dans les flammes, que les mystères des rayons désormais silencieux avaient été engloutis un à un dans l'abîme infernal qui crépitait au centre des imposantes colonnes.

— Les piliers de vérité, chuchota Gorpo, qui voyait Tolain les mesurer du regard. Si j'ai bien compris, chacun symbolise une des vertus de Num. Les vérités sur lesquelles ce temple a été bâti.

Au pied de chacun des piliers, un mot inscrit en lettres de feu était gravé. Sur la colonne qui se trouvait à sa droite, Tolain lut le mot «Justice». Mais, curieusement, comme l'envers de cette vérité projetée par la rougeur des flammes, son reflet dans le sol de verre affichait un mot bien différent : dans cas-ci, Tolain reconnut le mot «Vengeance». Au pied du second pilier, sous le mot «Puissance» apparaissait «Pouvoir», dessiné en signes éclatants. Plus loin, sous «Sagesse», Tolain lut «Foi», tandis qu'à l'extrémité du cercle, l'ombre du mot «Éternité» s'écrivait «Erkan».

— C'est l'esprit du Maître-Feu, souffla Gorpo derrière lui. Sa pensée est la négation de celle de Num. Mais cette erreur sera bientôt corrigée. Oui, d'ici peu, l'injustice sera réparée.

— Le Maître-Feu?

— Un seigneur de l'Erkan, apprivoisé par la fée Nahara. Elle le nourrissait et, en échange, il lui permettait d'entendre la rumeur qui s'élevait dans les provinces ténébreuses. Quand je l'ai trouvé, il était sur le point de mourir. Depuis, je veille à ce qu'il soit toujours dans une forme resplendissante. Viens, il nous attend, dit le diablotin en désignant un petit autel construit face au foyer.

«Mais qu'est-ce qu'il raconte? Il n'y a personne dans cette salle!» pensa Tolain, qui cherchait des yeux un vieux mage drapé dans des habits flamboyants ou un prêtre coiffé d'un chapeau ridicule. Mais en vain. Le diablotin et lui étaient seuls dans ce temple oublié des hommes.

Pourtant, à mesure qu'ils s'approchaient du feu, Tolain pouvait voir une silhouette se dessiner devant eux. Elle était là, les attendant calmement, installée au cœur même du brasier. Plus ils s'avançaient, plus ses traits se précisaient au milieu des flammes.

Lorsqu'ils arrivèrent au pied de l'autel, c'est une image troublante de vérité qui se tenait assise sur son trône enflammé. Ses yeux rayonnaient d'un pouvoir intense et son visage coulait pareil à un fleuve brûlant où les apparences ne faisaient que passer, masque de feu où toutes les figures renaissaient en une figure toujours plus radieuse.

Encourageant Tolain à l'imiter, Gorpo s'inclina devant l'esprit embrasé. Une vive chaleur s'élevait de la haute silhouette, et le diablotin en profita pour y réchauffer ses membres endoloris.

— Maître-Feu, votre lumière est la chaleur qui me garde en vie. Écouterez-vous l'ombre qui vous interpelle ?

Au milieu des flammes, la silhouette parut s'élever en rugissant.

— Je t'écoute, fils des Terres Profondes.

— Maître ! Je suis de retour. Arr ! De retour, comme promis.

— Est-ce bien là celui que nous attendions ?

— Arr ! Oui, c'est lui. Je l'ai trouvé et…

— Silence ! Ici, la parole est mienne. À l'intérieur du Temple de la Nuit, où les rêves des dieux et des hommes ne font qu'un, je brûlerai éternellement. Tel est le secret du Temple de la Nuit. Entre ces murs, l'imagination demeure vivante, et ma lumière y est toute-puissante ! s'exclama l'esprit radieux, tandis que les flammes s'élevaient autour de lui dans un éclatant tourbillon de lumière.

— Rappelez-vous ceci, poursuivit-il. Lorsque les ténèbres auront recouvert Azura et que Num et ses filles retourneront dans les sphères originelles, alors tous me prieront et m'adoreront !

Plus l'esprit du Maître-Feu s'emportait, plus il rayonnait d'un éclat surnaturel. Il n'y avait pas de doutes : il savait de quoi il parlait.

— Je deviendrai la lumière du monde ! Je refondrai les miroirs magiques et réécrirai le livre des mystères !

— Arr ! Oui ! On brisera les vilains miroirs ! gloussa Gorpo, qui trépignait d'impatience. On effacera les pages du livre et on recommencera tout depuis le début !

— Je ne comprends pas, avoua Tolain en se tournant vers le diablotin. Quel est ce livre dont vous parlez ? Toutes les étagères des colonnes sont vides.

— Le livre de Mézibur ! Le livre du moine-illusionniste !

Gorpo étira les bras et prit un livre posé sur l'autel. C'était un ouvrage merveilleux, illustré par une plume experte, et sa large couverture semblait taillée dans l'azur. Deux lettres de feu s'unissaient pour former un étonnant symbole qui rappelait à la fois un oiseau et un serpent.

— Ce livre révèle tout ce qu'ont vu les miroirs magiques ainsi que tout ce qu'ils verront, souffla le Maître-Feu. Il relate l'histoire que vivra notre monde.

— Vous voulez dire que tout est écrit dans les pages de ce livre ? dit Tolain en prenant l'ouvrage que lui tendait le diablotin.

— Mézibur a débuté sa rédaction peu après la chute des Dieux Reptiles, alors que l'Erkan ténébreux venait d'être scellé par l'éclat des miroirs magiques. À cette époque, pour souligner la victoire de Num, Nahara fit construire au Pays Sans Aube ce majestueux palais, où nous sommes aujourd'hui : le Temple de la Nuit. Pendant des années, ses hauts murs accueillirent mystiques et mages de tous les horizons. Parmi eux se trouvait un talentueux garçon, un moine-illusionniste du nom de Mézibur. Il s'était présenté aux portes du Temple dans l'espoir d'y parfaire les principes de la Vision Pénétrante. Nahara admirait le talent unique du jeune moine, car s'il est vrai que les moines-illusionnistes sont tous de grands artistes, celui-ci possédait un don étonnant lui permettant de traduire fidèlement les traits d'un personnage ou d'un lieu dont il n'avait entendu que le nom. Cette singulière faculté, doublée d'une sensibilité qui rendait chaque détail touchant de vérité, faisait de lui un artiste de génie. Nahara n'a jamais cessé de s'en émerveiller et elle l'a choisi pour compléter le livre des mystères.

— Ce n'est donc pas lui qui a commencé à rédiger ce livre étrange ?

— Non, c'est Nahara elle-même qui en a écrit les premières pages. À la demande de Num, elle avait entrepris la rédaction du livre magique, façonnant de sa plume la destinée de ce monde. Mais ses expéditions dans le Double Pays lui demandaient de plus en plus de temps et le livre des mystères ne devait pas rester inachevé. La mission que lui avait confiée Num en aurait été compromise. Le jeune moine mit donc ses talents au service de la fée et rédigea pour elle l'ouvrage le plus merveilleux qu'on puisse concevoir. Un livre qui contient tous les autres. Plus tard, lorsque Nahara fut capturée par les Dieux Reptiles et devint Baha-Mar, Mézibur quitta le Temple de la Nuit et cacha le précieux document dans une des profondes cavernes du Pays Sans Aube. C'est là que Gorpo l'a trouvé.

— Arr ! Un véritable coup de chance, s'empressa de préciser le diablotin. Je venais d'échapper aux troupes de Baha-Mar et j'avais besoin de me reposer un peu. À vrai dire, je ne voulais surtout pas me trouver de nouveau nez à nez avec cette bande de krosts débiles. J'avais donc choisi de m'arrêter dans une grotte cachée au plus profond d'un ravin, où, j'en étais sûr, on ne pourrait me découvrir. C'est là, en explorant le sombre tunnel, que je suis tombé sur ce drôle de bouquin. Il m'est arrivé de parcourir les grimoires de bien des sorciers, dans les Terres Profondes où je suis né, mais jamais je n'avais vu de livre comme celui-là. Quand j'ai déplacé la dalle sous laquelle on l'avait caché, sa couverture se mit à briller dans l'ombre comme le plus merveilleux des trésors. Mais c'est lorsque je l'ouvris que la chose la plus inattendue se produisit. Moi,

Gorpo, diablotin des Terres Profondes, je pus lire ma propre histoire, inscrite en lettres de feu. Arr ! Le destin du peuple ténébreux lui-même m'apparut lumineux ! C'était extraordinaire ! Je sortais enfin la tête des marais de l'Erkan et je respirais pour la première fois ! Même Num, lorsqu'il nous condamna aux tourments des Terres Profondes, n'avait imaginé une chose pareille ! Au fil des pages, j'appris l'existence du Temple de la Nuit où l'esprit du Maître-Feu était gardé en captivité. Je compris que je devais m'y rendre et lui remettre le prodigieux ouvrage. Ses mystères seraient certes d'un grand intérêt pour lui. Arr ! Même si toute la science qu'il contenait me dépassait, une chose était claire à mes yeux : grâce à ce livre merveilleux, le Maître-Feu trouverait la façon de nous libérer des filles de Num une fois pour toutes !

— Le petit diablotin a raison, crépita le Maître-Feu. La chute des trois prêtresses est inscrite là, sur chacune de ses pages savantes. Tout y est noté dans les moindres détails. Il suffit de savoir interpréter les prophéties du moine-illusionniste. Dans sa profonde sagesse, il avait même prédit la naissance des bokwus. Jamais je n'ai eu de serviteurs aussi dévoués. Aussi dévoués et aussi cruels ! Ces génies entendent les pensées de Num et me les transmettent. Ce sont eux qui ont creusé ces longs tunnels sous le Temple et ont pillé la chambre des mystères. Ils me sont très utiles.

Gorpo se renfrogna. Il n'appréciait guère les propos enflammés du Maître-Feu au sujet des bokwus. C'était lui, et non eux, qui lui avait offert ce livre merveilleux. Lui qui avait trouvé et guidé Tolain jusqu'au Temple de la Nuit. Sa haine pour les bokwus en fut encore attisée, et il sentit ses cornes s'allonger un peu plus sur sa tête. Un jour, il leur montrerait à tous de quoi il était capable.

— Maintenant le livre des livres doit être détruit, continua le Maître-Feu. De mes mains incandescentes, je vais le réduire en fumée et changer le cours de l'histoire ! Mais, avant cela, tu dois connaître ce qui, dans ces pages, te concerne.

Tolain hésitait. Il n'osait imaginer tout ce que contenait le livre magique. Se pouvait-il que, parmi toutes ces merveilles, se cache la réponse à ses questions ? Qu'à l'intérieur d'un des chapitres, le secret de son origine lui soit dévoilé?

— Allez, répéta le Maître-Feu. Tu ne peux ignorer ce qui a été écrit.

3

Tolain souleva la couverture et lut ces premiers mots :

« Splendeurs et mystères d'Azura, rédigé et illustré par Mézibur, moine-illusionniste et champion défenseur de la Vision Pénétrante. »

Intimidé, il tourna les pages avec prudence, comme s'il redoutait ce que celles-ci pouvaient lui révéler. Dans les coins de chacune d'elles, il remarqua des symboles bizarres, insolites. Un fouillis de lignes incompréhensibles, comme si des signes d'origine diverse avaient été tracés à la hâte les uns sur les autres. Le résultat faisait penser à un long fil couvert de noeuds et de boucles, qu'on se serait amusé à rouler entre ses mains. C'était sans doute une forme de langage que seuls les moines-illusionnistes, dans leur sagesse sibylline, savaient interpréter. Un langage dans lequel la pensée du commun des mortels perdait tout son sens. En feuilletant les pages rapidement entre ses doigts, Tolain vit que des symboles clairs et sombres alternaient, comme si on avait voulu, de cette façon, marquer sur le papier le passage des jours et des nuits. Tolain avait l'impression que le temps lui livrait ses secrets les mieux gardés.

L'histoire du monde se déroulait devant ses yeux ébahis. Chapitre après chapitre, le livre des prophéties balayait les vérités que Tolain avait crues jusque-là immuables, pour les remplacer par de resplendissantes images. Comme le Maître-Feu, leurs couleurs brillaient d'un éclat intense.

Mais l'infaillible précision, si merveilleuse soit-elle, des pages écrites par le moine-illusionniste, ne pouvait qu'engendrer, chez celui qui les parcourait, un sentiment de terreur mêlé d'impuissance. Tolain n'en était qu'au début et, déjà, il ne ressentait plus que rage pour ce qui s'était passé et frayeur pour ce qui allait se produire. La vérité ne se laissait pas facilement regarder en face.

Avec angoisse, il découvrit le passage qui parlait du Rougeaud et de son luth. Il y apprit que le fameux troubadour avait vécu très longtemps au Pays sans Soir, caché dans la Tour Sans Ombre, auprès de la reine de l'aube, Athiana elle-même.

« C'était donc elle, la chimère blanche des casse-bois ! » réalisa Tolain, stupéfait.

Mais il n'avait encore rien vu. En effet, tout bascula lorsqu'il arriva à la page suivante. Le Rougeaud et la fée y étaient représentés avec, dans leurs bras, un nouveau-né.

— Qui est-ce ? demanda-t-il, le cœur battant.

— L'enfant d'une malheureuse union, siffla la voix brûlante du Maître-Feu.

— L'union d'un homme et d'une fée, murmura Tolain, incapable de détacher les yeux de l'enfant.

Ses traits étaient si purs et à la fois si graves qu'on aurait dit que les mystères de sa conception y étaient pour toujours inscrits. Mais c'est son regard, surtout, qui était remarquable. Là, peints sur le papier, pareils à deux éclats de soleil illuminant le petit visage rond, ses yeux avaient la couleur du ciel au premier jour du monde.

— Athiana a tout fait pour garder son existence secrète. Dès sa naissance, il a été conduit dans un petit village, isolé du reste du monde, et personne ne devait plus entendre parler de lui.

— Cet enfant… c'était un garçon ?

— Oui, répondit le Maître-Feu. Le petit-fils de Num lui-même !

— Et vous dites qu'il a été conduit dans un petit village…

— Un village perdu au bout du monde !

— Vous voulez dire que…

— Tu es le fils d'Athiana, mon garçon ! Le fils de cette chimère blanche !

Tolain laissa retomber le livre sur l'autel comme si les mystères qu'il contenait lui brûlaient les mains. Le fils d'Athiana et du Rougeaud ! Lui ? Cette idée l'étourdissait et bousculait toutes les autres : le luth, son don pour la musique. Il comprenait maintenant. Tout cela était en quelque sorte déjà écrit. Pour la première fois, son destin lui apparaissait avec une clarté aveuglante. Une clarté douloureuse. Oui, le livre magique disait vrai. Le Rougeaud était son père et sa mère était une fée, ou plutôt une sorcière ! Une infâme sorcière qui avait abandonné son propre fils. Tolain n'arrivait pas à y croire. Une telle trahison lui paraissait un crime ignoble, inconcevable. Comment une lumineuse déesse – fille de Num, par surcroît – avait-elle pu s'amuser à détruire ainsi sa vie ? Après quelques instants, sa surprise fit place à un sombre désir, un désir de vengeance qui n'avait d'égal que l'étendue de sa peine.

— Je la déteste. Oui, je la déteste pour toujours !

Le Maître-Feu rougit de plaisir. C'était précisément ce qu'il désirait entendre.

— Cette révolte qui gronde en toi est bien légitime. Mais ne te laisse pas accabler par la douleur qui l'accompagne, car, je te l'annonce, ton heure est enfin venue.

Tolain regarda le Maître-Feu sans comprendre.

— Oui, maintenant que tu es de retour chez toi, les choses vont pouvoir se mettre en marche.

— Chez moi ?

— Nahara, qu'on appelait aussi Baha-Mar, est morte. Depuis, le Pays Sans Aube est sans souverain.

— Et alors ? le pressa Tolain, qui allait de surprise en surprise.

— C'est toi, le fils d'Athiana, qui deviendras le nouveau maître de la vallée de la lune. Ton désir de vengeance rassemblera autour de toi toutes les tribus de l'Erkan, et, bientôt, tu régneras sur le Double Pays lui-même !

— Chassons cette sorcière d'Azura ! s'exclama Gorpo, pressé de passer enfin à l'action.

— Usurper les terres sacrées ? Chasser ma mère, la reine de l'aube elle-même ? Mais je n'y arriverai jamais…

— Je serai avec toi et te soutiendrai, lui affirma le Maître-Feu. Crois-moi, au grand désarroi des fées et de leurs alliés, le souffle du ciel s'exprimera par ta volonté.

— Ma volonté ? répéta Tolain sans vraiment y croire. Et si j'échoue ?

— En posant les pieds au Pays Sans Aube, tu as laissé celui que tu étais derrière toi. Tu es maintenant l'héritier de Num, le futur gardien du destin d'Azura. Bientôt, tu posséderas les clés de tous ses royaumes.

Aussi farfelue que pouvaient sembler les révélations du Maître-Feu, ce dernier avait raison sur un point : Tolain n'était plus lui-même. En fait, il ne désirait plus être lui-même. Il était dans une telle colère qu'il voulait détruire tout ce qui lui rappelait son origine. Tout ce qui lui rappelait ses parents. Encouragé par le discours du Maître-Feu, il s'approcha du brasier avec l'intention d'y lancer le luth du Rougeaud. Il voulait voir ce qui restait de son passé se briser dans les flammes.

— Malheureux! Ne fais pas cela! Ce serait une grave bêtise.

— Je ne veux plus entendre ce luth de malheur! Je souhaiterais que jamais Oluc ne me l'ait offert.

— Tu te trompes. Ce luth te sera très précieux. Il te permettra de faire échec à la reine de l'aube, ta mère.

— Ce petit instrument? Vous vous moquez de moi?

— Ce petit instrument, comme tu dis, lui rappellera la faute qu'elle a commise. Il lui rappellera celui qu'elle a aimé. Elle en sera affaiblie et tu pourras enfin venger l'affront dont tu as été victime.

— Avec un air de musique?

— La fée habite l'aube de son chant ensoleillé. Sa voix réchauffe le cœur des arbres et guide les ailés dans leur vol. Tu prendras la tête des sombres armées de l'Erkan, et, tous ensemble, vous élèverez votre voix contre celle d'Athiana. Sa magie sera impuissante contre toi, son propre fils. Je te le dis, bientôt tout Azura sera sous ton contrôle et les rêves du vieux Num ne seront plus qu'un souvenir.

Tolain considéra l'instrument d'un œil nouveau. S'il devait en croire l'esprit du Maître-Feu, le petit luth qui avait fait danser et chanter les gens de Térinor, allait bientôt répandre les ténèbres sur toute la création de Num. Grâce à lui, il allait guider les tribus de l'Erkan hors du Pays Sans Aube. Cette sombre perspective l'effrayait, mais, à la fois, c'était bien plus qu'il ne l'espérait. Beaucoup plus ! Il ne pouvait imaginer plus belle façon de rappeler à Athiana qu'il existait, et, étourdi par les révélations du Maître-Feu, le pauvre Tolain se laissa séduire par cette idée.

4

Pour remercier l'esprit embrasé, Tolain pinça les cordes et joua pour lui. Très haut dans le Temple, résonna la colère qui enflammait son cœur. Sous chaque note grondait le souffle du Maître-Feu, et il lui sembla qu'il jouait mieux qu'il ne l'avait jamais fait. Le jeune ménestrel avait retrouvé sa musique, là où il s'y attendait le moins. Dans les ténèbres et le chaos. Dans la douleur et la tourmente. Le Maître-Feu lui avait indiqué la voie.

— Grâce à vous, je connais enfin la vérité. Je ne vous décevrai pas, jura Tolain en s'inclinant.

Lorsqu'il se releva, la silhouette embrasée avait disparu. Le rideau de flammes s'agitait, déserté par l'esprit lumineux qui y avait siégé.

— Arr ! Les bokwus ! siffla Gorpo. Ils sont tous là ! Ils vous réclament !

Près de la porte, tous les génies sauvages asservis par l'esprit du Maître-Feu manifestaient bruyamment. Ils étaient ses soldats, et Tolain, leur nouveau lieutenant. Ils étaient prêts à tout pour le servir.

Tolain quitta le Temple et s'avança parmi eux. Déchiré entre sa crainte des horribles créatures et son désir de vengeance, c'est le regard sombre qu'il passa ses troupes en revue. Il frissonna en voyant qu'une force secrète grondait au fond de leurs membres noirs. Une force qui éclipsait la volonté de

Num en ce monde. Chaque visage grimaçant de haine, chaque corps marqué de violence, lui communiquait un peu plus de cette force terrifiante. Grisé par cette haine qu'il sentait battre jusque dans sa poitrine, Tolain réussit à masquer le dégoût que les bokwus lui inspiraient et accepta de les diriger. Il était maintenant résolu à aller jusqu'au bout de sa folie. Il marcherait vers la victoire. Ces génies qui l'entouraient n'en doutaient pas une seconde.

Tolain s'enveloppa d'une longue cape noire, pareille aux ténèbres qui désormais lui obéissaient. C'est ainsi qu'à la tête des forces de l'Erkan, il entreprit sa longue marche. Posé sur l'horizon, le Pays Sans Soir brillait dans les nuées. Tolain pouvait voir de lointaines montagnes aux cimes brillantes, aussi éclatantes que le soleil dans le ciel. C'était là, il le savait, qu'Athiana, la fée, se cachait.

— Mais pas pour longtemps, chère mère ! Pas pour longtemps !

VIII

La chimère blanche

1

Au Pays Sans Soir, les ailés étaient tous réunis pour un extraordinaire colloque. Le ciel était lourd et le gris de l'aube colorait leurs yeux d'une frayeur inconnue. Nombreuses étaient les questions qui gonflaient leurs gorges et faisaient claquer leurs becs. Leurs longues ailes de lumière avaient perdu leur éclat et les vents n'annonçaient rien de bon à l'horizon.

— Vous avez vu ce qui se passe à la frontière ? Si nous n'agissons pas dès maintenant, le Maître-Feu va ravager toutes les vallées du Pays Sans Soir.

Tous les ailés tendirent le cou, le bec pointé vers le ciel pour signifier leur accord.

— Avez-vous oublié ce que nos pères nous ont appris ? Il n'est pas sage d'agiter les ailes avant que la brise ne soit levée, dit un grand oiseau blanc du nom d'Élor. Pourquoi tant de hâte ? Athiana, notre reine, brille plus que tous les feux de l'Erkan. Elle refoulera la nuit aux frontières du Pays Sans Soir. Et si elle échoue, elle pourra toujours appeler Num à son secours.

— Mais les routes du ciel se referment ! protestèrent certains. Num ne pourra pas revenir sur Azura. Si nous demeurons cachés ici, la Tour Sans Ombre deviendra notre tombeau !

— Je n'abandonnerai pas Athiana, dit simplement l'oiseau blanc en faisant claquer son grand bec.

Les ailés lissèrent leurs plumes et demeurèrent silencieux. Aucun d'eux ne voulait se séparer de la fée. Ils étaient tous très inquiets pour elle. Depuis plusieurs jours, elle se tenait auprès du puits sans bouger. Sa douce voix reprenait sans se lasser un refrain des premiers jours d'Azura. Un refrain qui risquait d'être bientôt oublié à jamais. Dans la vallée bienheureuse, chaque brin d'herbe reprenait son chant sublime. La rosée, la vigne et la terre, tout en ce pays merveilleux n'était plus que l'écho de cette prière qui s'élevait dans son cœur.

En effet, les pensées de la reine de l'aube s'étaient assombries ces derniers temps. Au fond des eaux sacrées, une ombre chaque jour grandissante éclipsait l'éclat du miroir solaire dont elle avait la garde. Dans sa joyeuse sagesse, la fée n'avait pas prévu ça.

2

Soudain, dans le ciel, les ailés lancèrent un appel. Sinwa, la jeune sœur d'Athiana, revenait de la Verte Colline. Elle descendait en courant sur le versant ensoleillé et sa robe blanche brillait, pareille à une étoile dansant sur l'herbe. Ses longs cheveux flottaient derrière elle comme de l'or au vent, et plusieurs ailés changèrent de cap pour aller l'accueillir. Au-delà, le ciel était noir, impénétrable. En effet, la colline située à la frontière des deux mondes, avait une face cachée, un versant sombre situé au Pays sans Aube. Sinwa s'était rendue à cette frontière, où le jour et la nuit se touchent sans jamais se voir. Elle avait beaucoup de choses à raconter à sa sœur.

Elle la trouva debout près du puits sacré, belle comme une fleur dans la rosée du matin. Sinwa s'approcha, heureuse de la revoir et pressée de commencer son récit.

— J'ai vu Cerös, le fils de Feös, dit-elle d'entrée de jeu.

— Sinwa ! Te revoilà, s'exclama Athiana, surprise.

Perdue dans ses pensées, elle n'avait pas entendu l'appel des ailés qui l'annonçait, et encore moins le pas léger de l'enfant-fée glissant sur l'herbe tendre. Mais la surprise était agréable et Athiana oublia pendant quelques instants la morosité qui l'habitait.

— Alors, raconte-moi ! Le fils de l'Arbre-Roi se porte bien ?

— Son cœur de bois est encore vert, mais ses racines sont déjà profondes. Ses bras seront hauts et forts, cela ne fait aucun doute. Il y a même des génies sauvages qui sont revenus y faire leur nid.

— Targaam était-il avec lui ?

— Oui, le gnome-guerrier m'attendait au sommet de la colline. En fait, il ne l'a pas quitté depuis le jour où la première tige de l'arbre a percé le sol. Au cours des premières saisons, il a veillé sur la jeune pousse nuit et jour sans jamais fermer l'œil. Il était là lorsque les génies sauvages sont revenus. Il m'a raconté qu'ils se sont rués vers la colline dès que le vent leur a colporté la rumeur des feuilles dans les jeunes branches de l'arbrisseau. Ce sont eux qui lui ont enseigné à se tenir bien droit et à pointer ses longs bras en direction des célestes jardins de notre père. Grâce à leurs bons soins, le petit arbre est devenu solide et aussi beau qu'une fleur au printemps. Ses feuilles, d'un vert brillant, ont pris la forme étoilée des palais de Num et ses racines ont trouvé la route qui mène au cœur du monde. Cela peut sembler invraisemblable, mais Targaam le gnome m'a confié que le fils de Feös, bien qu'il soit encore dans sa prime jeunesse, est déjà prêt à donner son premier fruit sacré !

— Avec des jardiniers pareils pour s'occuper de lui, il ne faut pas s'en étonner. Le jeune arbrisseau aura bientôt la stature d'un Arbre-Roi, comme son illustre père, ajouta Athiana en souriant.

— Je souhaiterais que Nimir puisse le voir. Il en serait très fier.

— Et avec raison. C'est grâce à lui si l'Arbre-Roi a aujourd'hui un héritier.

— Oui, ce fruit sacré qu'il portait avec lui a été providentiel, se rappela Sinwa. Mais les nouvelles que je rapporte de la Verte Colline ne sont pas toutes aussi bonnes.

— Que veux-tu dire ?

— Dès que je suis arrivée au sommet, j'ai vu les ombres qui grandissaient au-dessus du Pays Sans Aube. Comme un volcan, elles répandent leurs poisons sur Azura. Dans quelques heures, la frontière du Pays Sans Soir aura disparu sous les nuées empoisonnées.

— Le Temple de la Nuit a été profané, murmura Athiana. Les portes de l'ombre ont été ouvertes.

— La nuit était trop noire pour que je puisse voir quoi que ce soit, répondit l'enfant-fée sans remarquer la détresse contenue dans la voix de sa sœur.

— Tout est de ma faute, souffla Athiana en baissant les yeux. Cette ombre qui menace le Pays Sans Soir, c'est moi qui en suis la cause.

— Que dis-tu ? C'est absurde !

— Pendant que notre sœur Nahara s'égarait sur les routes ténébreuses de l'Erkan, je me suis perdue dans une folie plus aveuglante encore. Moi, Athiana, reine de l'aube, j'ai tourné le dos à la lumière.

— Mais qu'as-tu pu faire de si répréhensible ? s'exclama Sinwa avec inquiétude. Tu es l'esprit de Num sur cette terre. Chaque jour qui se lève nous le rappelle. Je ne peux croire que…

Athiana regarda sa jeune sœur dans les yeux. Pour la première fois, son visage était teinté de tristesse et Sinwa comprit que c'était très sérieux.

— Cette vallée ensoleillée a été mon paradis et j'y mourrai plutôt que de la quitter. Mais, pendant toutes ces années, je vous ai caché la vérité.

— La vérité ? Quelle vérité ?

— Il faut me pardonner. Le souffle de l'aube était si grisant.

— Je ne comprends plus. Quel crime faut-il donc te pardonner ?

— Je me suis abandonnée à l'amour, Sinwa. Moi, fille du ciel, j'ai accueilli en mon cœur les rêves d'un homme.

— Mais… mais la lumière de Num…

— … ne doit jamais quitter nos âmes. Je le sais.

Sinwa regarda sa soeur sans rien trouver à ajouter. Pour une fée, c'était là une faute impardonnable, voire inimaginable. Oublier Num ! Laisser ses pensées errer loin de sa lumière bénie ! Cela était suffisant pour transformer la plus noble déesse en sorcière. Seule Athiana, dans sa joyeuse insouciance, pouvait avoir renié ainsi les vœux sacrés d'une fée.

— Et qui est cet homme ? finit-elle par demander.

— Un barde. Un musicien qu'on appelait le Rougeaud.

— Le Rougeaud ? répéta l'enfant-fée, de plus en plus étonnée.

— Le fils aîné d'un roi qu'une infirmité avait éloigné du trône. Enfant, il avait découvert le sentier qui conduit à un autre trône, très différent celui-là, le trône de pierre. Un trône que les casse-bois, dans leur foi primitive, avaient érigé pour accueillir Num au plus profond des terres sauvages. Il avait visité la Forêt Chantante et s'était abreuvé aux puits sacrés. Il voyageait sans voir la lumière qui l'entourait, mais il avait été touché par le chant de la forêt magique, car, déjà, il portait la musique en son cœur et rêvait de devenir barde. Il se dit qu'un luth, taillé dans le bois d'un de ces arbres merveilleux, ferait un remarquable instrument. Sans plus attendre, il tailla le plus jeune des arbres-frères, dont la voix encore verte avait paru la plus douce à ses oreilles. Num fut outré de voir la terre sacrée ainsi profanée, et je fus envoyée pour intimer au fautif l'ordre de se présenter à la cour pour être jugé. Mais lorsque je vis l'usage qu'il avait fait du bois sacré, je ne sus que faire. Le petit arbre magique était devenu un luth extraordinaire. Sous ses doigts, le son des cordes rappelait le chant du vent dans les arbres du Pays Sans Soir. La musique du petit instrument m'envoûta, moi, Athiana, prêtresse des purs jardins de l'aube. Mais plus encore, la joie qui se lisait sur les visages de ceux qui l'écoutaient me toucha. Je fus incapable de ramener le luth, ou d'annoncer au troubadour la menace qui pesait sur lui. Au contraire, je l'accompagnai dans ses joyeuses gigues et l'encourageai dans sa folie. Je l'accueillis même au Pays Sans Soir, où il vécut de nombreuses années, à mes côtés, dans la

Tour Sans Ombre. J'ai connu le bonheur, mais depuis sa mort, je ne suis plus la même. Lorsqu'il ferma les yeux, Athiana, la radieuse, s'est éteinte ! Si je franchis les frontières du Double Pays, je disparaîtrai à jamais.

Sinwa était sans voix. Cette révélation de sa sœur l'attristait, car elle savait ce qu'elle voulait dire. Elle savait que lorsqu'une fée offre son cœur, ses pouvoirs s'en trouvent grandement diminués. En effet, la passion qui a de tout temps animé les hommes peut être fatale, même pour la plus puissante d'entre elles. La paix céleste qui l'habite est à la source de tous ses pouvoirs. À l'origine de tous ses rêves. Si elle est troublée, sa vision magique s'en trouve à jamais altérée puis l'abandonne. La fée alors se désespère, incapable de retrouver la route des terres enchantées. C'est pour cette raison qu'elle et ses sœurs demeuraient cachées aux frontières du Double Pays, guidant secrètement le destin des âmes sans jamais être vues. Sa sœur bien-aimée avait failli à cette règle. Cette flamme sublime, qui avait éclairé le cœur du Rougeaud, s'était éteinte avec lui. Privée de sa lumière, la reine de l'aube n'était plus qu'une ombre sous le soleil, qu'une déesse sans vision et sans avenir. Si Num découvrait sa faute, elle serait chassée du Pays Sans Soir et ne pourrait plus jamais y revenir. Elle errerait de par le monde, comme ces chimères que célèbrent les casse-bois dans les forêts des terres sauvages.

— Mais pourquoi avoir caché cet amour ? Je suis sûr que Num aurait compris.

— Ce n'est pas tout. Au plus fort de notre passion, le Rougeaud me supplia de laisser notre amour prendre vie. Je fus incapable de lui refuser cette ultime joie et… j'ai bravé l'interdit.

— Tu… tu as donné naissance à un enfant mortel ?

— Oui. Le Rougeaud et moi avons eu un fils. Il est né ici, dans les chambres de lumière de la Tour Sans Ombre. Pour le soustraire au regard de notre père, je n'ai eu d'autre choix que de m'en séparer. J'ai donc demandé à un ailé de le conduire dans un petit village, perdu au bout du monde. C'est là, caché parmi les mortels, qu'il a grandi.

— Tu ne l'as jamais revu ?

— Non, pas une seule fois, soupira Athiana. Mais les ailés m'en apportaient des nouvelles régulièrement. Comme je l'avais espéré, dans ce paisible royaume, l'enfant a grandi normalement et il a échappé à la justice de Num.

La fée avait toujours éprouvé de la difficulté à se conformer aux lois sévères de son père. Au fond d'elle, Athiana était très semblable à Nahara, sa sœur disparue. Tout comme son aînée, qui avait sombré dans la nuit jusqu'à devenir Baha-Mar, la déesse du Jour allait plus loin que quiconque ne l'avait osé avant elle. Aucun mage, aucun sorcier ne s'était risqué à s'amuser, comme elle le faisait, avec la flamme de vie. Elle transformait leurs secrets les plus graves en chansonnettes amusantes et dansait avec le feu magique des génies sauvages sans jamais se brûler. Mais par amour pour le Rougeaud, elle avait poussé trop loin son audace. Aujourd'hui, alors que son fils s'apprêtait à la retrouver, sa douleur était plus vive que le soleil dans le ciel, plus profonde que le puits sacré qui s'ouvrait à ses pieds.

— Mais quel est le lien entre ton fils et ces ombres qui ensevelissent Azura? demanda Sinwa.

— Un ailé m'a confié avoir vu un diablotin rôder près du village. J'ignore par quel moyen, mais il l'a retrouvé et conduit aux portes du Temple de la Nuit.

— Aux portes du Temple ? Tu en es sûre ?

— Les hordes de l'Erkan l'ont élu, Sinwa ! Ils l'ont élu, lui ! Mon fils est le nouveau prince du Pays Sans Aube. Il est en route pour venir m'affronter. Ah, petite sœur, la honte est sur moi, et je suis punie de la pire façon qui soit. Je voudrais tant que Nahara soit toujours avec nous, soupira-t-elle. Je voudrais tant qu'elle puisse me conseiller.

IX

La voix de la nuit

1

Tolain, avec l'aide du diablotin, guida les créatures de l'Erkan à la conquête du Pays Sans Soir. La sombre armée progressa jusqu'à la frontière dorée du Double Pays, puis s'immobilisa, comme la cendre d'un incendie se déposant sur chaque chose. Les ombres diaboliques souillaient tout ce qu'elles touchaient, dénaturaient chaque lieu qu'elles traversaient. À quelques pas du lumineux domaine d'Athiana, on n'entendait plus que le souffle hargneux des bokwus et le grogne-ment des chiens-vampires qui s'impatien-taient.

Tolain se tourna vers le Pays Sans Soir. Son gentil visage d'autrefois était maintenant sinistre, et l'éclat du jour semblait venir mourir dans ses grands yeux noirs.

— Gorpo?

— Mon seigneur? murmura le dia-blotin, prêt à recevoir ses ordres.

— Écoute-moi bien. Je suis impatient de retrouver ma mère. Je pars à sa recherche sans plus tarder. Dis aux bokwus et à leurs chiens de se tenir prêts. Au son du luth, vous vous lèverez et viendrez me rejoindre. Tu m'as bien compris?

— Arr! Oui, mon seigneur. Partez sans crainte. Nous serons prêts.

Sans autre explication, Tolain fit un pas en avant et glissa dans la fraîcheur de l'aube. Il sembla à Gorpo que sa longue cape jetait un éclair en disparaissant dans la lumière froide du matin.

«Pourvu qu'il réussisse à réduire au silence la fée et tous ses ailés maudits», pria le diablotin en regagnant l'ombre du soir.

2

Les yeux de Tolain avaient du mal à s'adapter à cette nouvelle clarté qui l'entourait. Ils demeuraient nimbés de nuit, cachés sous son large chapeau, pareils à des tisons sommeillant sous une épaisse fumée. Au loin, perdue dans les brumes ensoleillées, il distinguait avec peine la Forêt Chantante. Tout ce qu'il parvenait à voir, c'était la silhouette des plus grands arbres qui ployaient sous le vent. Ils murmuraient en se berçant dans le nouveau jour et leurs bruissements lointains lui rappelaient la vibration des cordes de son petit luth. Plus haut, s'élevant au-dessus du ballet des branches, une tour immaculée se dressait vers le ciel : la Tour Sans Ombre. Tolain en détourna le regard, tant son éclat était vif et sa pointe brillante. Au fond de lui, il espérait ne pas avoir à s'y rendre.

Planant au-dessus d'une petite vallée non loin de là, il distingua un groupe d'ailés qui tournoyait dans le ciel. On aurait dit la ronde silencieuse de sentinelles venues s'assurer que le lever du jour se déroulait comme prévu.

« Le puits est dans cette vallée, et ma mère m'y attend », réalisa Tolain en accélérant le pas.

Déterminé, il laissait monter en lui la colère. Il ne se laisserait pas séduire, comme son père autrefois. Il ne deviendrait pas la nouvelle victime de cette fée. Le Maître-Feu lui donnerait la force de résister à ses envoûtements. Il n'avait pas à s'inquiéter.

3

Athiana espérait connaître son fils depuis des années, et l'imminence de la rencontre la rendait très nerveuse. Elle ressentait un mélange d'excitation et de peur. Mille questions lui venaient à l'esprit.

« Aura-t-il la force de me pardonner? se demandait-elle. Et moi? Après toutes ces années, comment vais-je réagir? Saurai-je me faire accepter de lui? Trouverai-je le courage de lui avouer toute ma douleur? »

La fée, dont la pure vision avait fait naître le jour, était incapable de prédire ce qui allait maintenant survenir. Incapable de répondre à ces terribles questions qui la hantaient. L'ombre avait commencé son œuvre redoutable et, pour la première fois, la peur l'avait envahie.

Lorsque Tolain, tout de nuit vêtu, se présenta devant elle, les ailés se turent. La reine de l'aube elle-même ne sut trouver les mots pour l'accueillir. Silencieuse, elle s'avança vers lui pour mieux le voir.

Trois ailés l'accompagnèrent, prêts à sacrifier leur vie pour protéger leur reine bien-aimée : Élor, Fori et Jomé. Il s'agissait de ses trois plus fidèles compagnons, et leurs becs pointus étaient ouverts et menaçants.

La fée fut d'abord heureuse de constater à quel point son fils était beau et grand. Il avait les épaules solides, les bras souples et forts, et avait la stature des hommes de Térinor. Lorsqu'il enleva son chapeau et rejeta sa cape, Athiana vit qu'il portait le luth du Rougeaud, en bandoulière sur sa poitrine. Pendant une seconde, elle fut prise d'un délicieux vertige. La ressemblance du père et du fils était si frappante qu'elle eut l'impression que, par les yeux du jeune homme, c'était le Rougeaud lui-même qui la contemplait dans toute sa beauté. Celui qu'elle avait aimé découvrait enfin la couleur de l'aube sur sa peau. Pour la première fois, leurs deux regards se répondaient, par-delà le temps, par-delà la mort. Le vœu le plus cher de la fée était enfin exaucé.

Mais Tolain était aussi le petit-fils de Num, ce qui en faisait un garçon aux ambitions peu ordinaires. Comme son grand-père céleste, il avait le visage généreux et la voix qui porte. Mais, dans ses yeux, la sagesse de Num était absente. En ce jour sombre, le feu qui y brûlait était celui d'un autre esprit. Un esprit embrasé surgi de l'Erkan. Athiana le reconnut et sentit tout son corps se raidir. Le Maître-Feu ! Elle pouvait l'entendre rugir en lui !

— Fée aveuglante ! Reine des illusions ! Craignez-moi, car je suis celui par qui viendra la nuit !

— Mon fils ! murmura Athiana, la gorge nouée.

Elle aurait tellement voulu que la joie de l'aube réchauffe le cœur de Tolain ! Elle aurait tellement voulu le serrer dans ses bras au lieu de rester là, à le regarder comme un étranger !

— Je sais tout, poursuivit Tolain en la défiant du regard. Je sais comment vous avez ensorcelé mon père. Comment vous avez usé de vos charmes surnaturels et profité d'un homme que la nature avait fait naître diminué. Une fois votre méfait commis, vous m'avez abandonné, moi, votre fils ! Vous n'êtes pas une fée mais une sorcière au cœur

de pierre ! Vous ne méritez pas d'être mère !
Je suis ici, à Azura, afin que Num me voie
et qu'il découvre votre faute ! Je suis venu
pour qu'il vous châtie pour l'éternité !

Les paroles de Tolain étaient dures et sa
voix tranchante comme l'acier. Mais la fée
ne se laissa pas abattre. Elle savait que l'esprit
du Maître-Feu aveuglait son fils et gardait
espoir de le libérer de son emprise.

— Tu as raison, mon fils, lui accorda la
fée sur un ton conciliant. Jamais une mère
ne devrait abandonner son enfant. Mais
sache que ce geste fut le plus déchirant que
je posai de toute ma vie. Certes, cela ne
pardonne pas la faute dont tu m'accuses.
Pendant tout ce temps, j'ignorais que ma
souffrance serait encore plus grande le jour
où je te retrouverais.

— Vous n'aviez qu'à vous tenir loin des
hommes. Qu'à rester dans la forêt, comme
les autres sorcières de votre espèce.

— J'aimais le Rougeaud, Tolain. Jamais
je n'avais ressenti pareil bonheur qu'en sa
présence. La première fois qu'il me prit dans
ses bras, je compris pourquoi Num nous
interdisait de goûter aux joies humaines. Il
savait que, pour nos âmes immortelles,

l'amour devenait vite mélancolie, puis prison. Son œuvre entière reposait sur nous et il ne voulait pas la voir menacer.

— Tout cela est bien triste ! ironisa Tolain. Mais qu'en est-il de mon cœur à moi ? De mes rêves et de mes amours ? Quelqu'un s'en est-il déjà soucié ?

— Ton cœur ? Je sais qu'il est vigoureux et que tes rêves chantent haut et fort. Je sais qu'un vieil aubergiste a pris soin de toi et que…

— Taisez-vous ! Vous ne savez rien du tout ! trancha Tolain. Et, surtout, ne mêlez pas Oluc à vos histoires.

En évoquant l'aubergiste de Térinor, la fée cherchait à éveiller la bonne part de Tolain. À chasser un moment l'ombre maléfique qui s'était glissée en lui. Mais, bien que sa tentative ne laisse pas Tolain indifférent, sa réaction fut tout autre que celle escomptée. Au lieu de baisser la garde et de s'ouvrir, comme elle l'espérait, la fée vit son fils se refermer encore un peu plus. Elle comprit alors le drame qui se jouait en lui, et sut que les paroles étaient devenues inutiles. Tolain, quoi qu'elle dise désormais, n'entenderait pas la raison. Le poison du

Maître-Feu consumait déjà son corps et son âme. Si elle souhaitait le toucher et gagner sa confiance, elle devrait se livrer à lui en toute simplicité.

4

Tremblante d'émotion, Athiana s'avança et chanta pour son fils. Elle chanta l'air qu'elle avait improvisé pour le Rougeaud, lors de leur première rencontre. L'air qu'il préférait entre tous. Elle le chanta comme jamais elle ne l'avait fait auparavant. Même les ailés, qui l'avaient maintes fois entendue, furent troublés par la chaleur de sa voix céleste.

Mais le Maître-Feu avait transformé le cœur de Tolain en brasier, et sa fumée avait obscurci ses pensées. La mélodie, bien que sublime, ne réussit pas à l'émouvoir. Tout au contraire, la musique de sa mère, sa lumineuse beauté et la parfaite harmonie qui s'en dégageait, loin de l'apaiser, lui semblèrent un affront de plus, une ultime blessure à son cœur d'enfant délaissé.

Armé de son luth et de la haine qui grandissait en lui, Tolain se concentra et se mit à jouer à son tour, invitant les esprits de l'Erkan à venir le rejoindre. Dès que ses doigts pincèrent les cordes, les génies noirs firent leur entrée, entraînant avec eux la nuit sur le Pays Sans Soir. Avec fougue, le jeune musicien répondait au chant magique de la fée. Il exécuta une mélodie si sombre que tous ceux qui l'entendirent en eurent des frissons. Sa voix était chargée de ressentiment et résonnait dans la vallée bienheureuse comme un cri qui transperce la joie. Tous les fantômes de la nuit, les bokwus et leurs cousins, reprenaient ses paroles de leurs voix d'outre-tombe. Le seul écho de leurs cris inhumains suffisait à répandre autour d'eux ténèbres et désolation. L'aube était glacée d'effroi, transpercée par ce souffle désincarné, et le soleil, qui avait toujours brillé sur la vallée bienheureuse, disparut, éclipsé par cette marée de douleur surgie de l'Erkan.

La fée frissonna et chancela comme une flamme sur le point de s'éteindre. La haine de son fils, le venin de ses paroles, dépassait tout ce qu'elle avait entendu. Malgré cela, Athiana releva la tête et chanta une seconde fois. Elle chanta de toute son âme de mère, blessée mais fière de celui qui l'éprouvait avec une telle fermeté. Sa voix était un étonnant mariage de révélations et de mystères. Une seule note pouvait nourrir d'espoir toute une génération. Un seul silence, anéantir l'âme d'un peuple. Jamais musique ne s'était faite aussi bouleversante, et Tolain l'écoutait sans pouvoir bouger, fasciné par ce chant venu des cieux. Lorsque Athiana eut terminé, l'écho de sa voix continua son œuvre, et le luth, dans les mains du musicien, demeura muet.

Sans la musique de Tolain pour les regrouper, les bokwus et les chiens-vampires ne savaient plus où donner de la tête et commençaient à regagner l'ombre qu'ils n'auraient jamais dû quitter. Ils cherchaient à se soustraire à cette voix enchantée qui les blessait de sa douceur, à cette invincible mélopée qui semblait ne jamais devoir s'arrêter. Ils la craignaient, car plus ils l'entendaient, plus la rage qui les animait se dissipait. Plus la chaleur du Maître-Feu se faisait lointaine et plus leur ferveur devenait incertaine.

5

Tolain et ses troupes furent ainsi repoussés jusqu'aux limites du Pays Sans Soir. Pour échapper à l'irrésistible magie du chant d'Athiana, ils n'eurent d'autres choix que de gravir la Verte Colline. Là, debout au sommet d'Azura, à la frontière entre les deux mondes, Tolain se retourna pour défier cet écho enchanté qui le pourchassait. Ayant retrouvé sa rage, il entonna un air d'une violence inimaginable. Un air où l'on entendait toute la folie qui le dévorait. La voix des bokwus, se mêlant à la sienne, résonnait comme les cors sinistres et caverneux de l'Erkan. Ralliés par les accords incendiaires qui s'élevaient du luth, ils scandaient le rythme en hurlant et en grognant. Emportés par la passion de leur nouveau maître, plusieurs d'entre eux grimpèrent dans les branches du nouvel Arbre-Roi et chassèrent les génies sauvages qui y avaient construit leurs nids.

L'Arbre était déjà grand, mais pas aussi fort que ne l'avait été Feös, et résista autant qu'il le put aux maléfices imaginés par les génies noirs. Mais avant que Tolain n'ait joué les derniers accords de sa désespérante mélodie, son écorce se fissura et ses branches tordues se couvrirent d'épines. L'arrivée des bokwus avait eu raison de lui. Ses feuilles étoilées en perdirent leur divin parfum. Elles devinrent noires et tranchantes et s'agitèrent en sifflant de façon sinistre, dévorées par un souffle brûlant. La voix des bokwus, maintenant perchés sur les plus hautes branches de l'Arbre, était gonflée par ce vent malsain et portée jusqu'aux confins du Double Pays. Par lui, la funeste mélodie de Tolain pouvait être entendue de tous.

Caché au cœur de l'Arbre, Targaam, le gnome-guerrier qui en avait la garde, n'eut pas le temps d'intervenir. Le tronc vert, en se pétrifiant, avait fait de lui son prisonnier.

Athiana était, elle aussi, impuissante. Avec Tolain à leur tête, elle ne pouvait chasser plus loin les esprits de la nuit. Elle ne pouvait les éblouir de sa céleste beauté, sans risquer d'aveugler son fils pour l'éternité.

— Peut-être seras-tu ma mort, mais tu bats dans mon cœur, pleura-t-elle en regardant Tolain.

Incapable de combattre plus longtemps la colère de celui qu'elle avait toujours secrètement chéri, la fée se résigna à retraiter dans la Tour Sans Ombre. C'était le jour le plus triste de sa vie. Avec elle, l'écho de sa voix quitta le Pays Sans Soir, laissant l'aube vide et sans espoir.

— Nous avons réussi ! clama Tolain. Azura est à nous. Athiana est notre prisonnière !

Victorieux, les bokwus hurlèrent et formèrent une ronde qui se referma autour de la colline enchantée, plongeant dans les ténèbres ce qui restait du Double Pays.

X

Fuite vers le chaos

1

Pendant que Tolain et son armée envahissaient la vallée ensoleillée de la reine de l'aube, Gorpo, de son côté, s'était tourné vers Sinwa. L'enfant-fée avait été séparée de sa sœur dès que Tolain avait surgi des ténèbres. Tel un brouillard suffocant, les bokwus les avaient cachées l'une à l'autre et les meutes de chiens-vampires avaient tôt fait de limiter ses mouvements. Sinwa était donc demeurée au pied du puits sacré, entretenant le fol espoir d'en préserver ainsi les secrets.

« La plus jeune des filles du ciel ! s'exclama le diablotin en l'apercevant. Je parie qu'elle saurait nous conduire chez Num, ni vu ni connu. Si seulement je pouvais m'en

 143

approcher. Je la forcerais à me suivre jusqu'au Temple de la Nuit pour que le Maître-
Feu la soumette à l'épreuve de vérité. Arr !
L'esprit des flammes verrait enfin de quoi
un diablotin est capable. Après cela, il ne
pourrait plus m'ignorer. C'est certain ! »

Gorpo cherchait une façon de rejoindre
le puits sans être dévoré vivant par un chien-
vampire, lorsqu'il remarqua un groupe de
bokwus qui allait et venait parmi la meute.
Ils veillaient sur les horribles bêtes comme
des bergers sur leurs moutons. Sans eux, les
chiens se seraient précipités à la poursuite
de tous les ailés qui avaient le malheur de
passer au-dessus de leurs têtes. Pareils à des
dompteurs cauchemardesques, les bokwus
maniaient le feu de leurs torches, parvenant
ainsi à contrôler les instincts des monstrueux
prédateurs. Pourtant, une des affreuses bêtes
semblait donner du fil à retordre à son
gardien.

— Couché ! Gros loup puant ! siffla le
bokwu. Couché, ou je te fais rôtir comme
un gigot !

— Wouah ! Approche encore et je te
brise les os ! gronda l'horrible chien en le
menaçant de ses longs crocs.

— Tu peux grogner autant que tu veux. Vous n'êtes tous que du bétail ! Tu m'entends ? Lorsque nous serons de retour au Temple, tu seras embroché, et ton gros ventre rougira sous le souffle du Maître-Feu !

— Alors, ce sera ton sang noir qui bouillira dans mes tripes ! hurla le chien-vampire en ouvrant sa grande gueule fétide.

Le bokwu ne prit pas la menace du chien-vampire assez au sérieux et négligea de pointer la torche sur son adversaire en invoquant l'esprit du Maître-Feu, comme c'était la règle dans ces cas-là. Au lieu de cela, il balaya l'air devant les yeux du monstre pour bien lui montrer qui était le maître.

Le chien-vampire ne rata pas une si belle occasion. De ses énormes dents, il attrapa le bras du génie et le sectionna en deux. Le bokwu hurla, mais il était trop tard. Il ne put éviter la gueule monstrueuse qui, d'une seconde bouchée, lui ouvrit la poitrine et broya son petit cœur sauvage. Le chien-vampire s'installa ensuite pour se délecter du sang du bokwu, sa lourde queue marquant sa satisfaction, jusqu'à ce que la dernière goutte soit versée.

— Voici ma chance ! songea le diablotin.

Sans bruit, il s'approcha de la macabre scène et dégagea la torche enflammée de la petite main qui y était toujours crispée. Puis, comme il avait vu les bokwus le faire maintes fois, il menaça le chien-vampire du feu de la torche.

— Arr! Que l'esprit du Maître-Feu glisse dans ta gueule et te soumette à ma volonté!

Surpris d'être ainsi dérangé dans son festin, le chien-vampire se retourna en aboyant. Dans une horrible grimace, il dévoila ses crocs, tachés du sang noir de sa dernière victime. Que lui voulait donc ce ridicule petit diable? Gorpo recula en sentant le souffle du monstre sur lui. Il avait bien invoqué le Maître-Feu, comme le faisaient ces affreux génies noirs. Mais il n'était pas familier avec les sortilèges des bokwus et craignit d'avoir oublié quelque chose. Un détail important qui lui aurait échappé.

Mais soudain, dans sa main, la torche crépita et flamba de plus en plus haute. Les flammes roulèrent en dégageant une épaisse fumée, empestant l'air devant le diablotin, jusqu'à ce que le chien-vampire baisse la tête en signe d'obéissance. Dans la rage dansante des flammes, il avait vu se profiler le long museau du Grand Loup, père de toutes les meutes et seigneur des forêts noires.

Soulagé, le diablotin l'enfourcha. L'énorme bête était maintenant docile et faisait une excellente monture. Mené par Gorpo, le chien-vampire parvint à rejoindre Sinwa. Le diablotin ricana en la voyant. Agenouillée près du puits, l'enfant-fée priait le ciel d'épargner Azura. Gorpo pouvait voir la lumière du miroir solaire, qui dansait sur l'eau sacrée, jeter sur son visage les derniers éclats du royaume de Num en ce monde. Azura était condamnée et la fille du ciel était à sa merci. Aucun mage, aucun sorcier ne pouvait rien y changer.

Gorpo s'approcha lentement du puits, évitant, autant que son horrible monture le lui permettait, de faire trop de bruit. Lorsqu'il y parvint enfin, il brandit sa torche enflammée sous les yeux effrayés de la jeune fée.

— Que l'esprit du Maître-Feu brûle tes yeux et te livre à moi ! cria-t-il, comme s'il s'agissait d'un jeu diabolique.

Encore une fois, la torche crépita. Les flammes volèrent, hautes et brillantes. Puis, dans le brasier rugissant, un visage s'illumina peu à peu. Un visage que Sinwa n'eut aucun mal à reconnaître. Dans le torrent enflammé, Num la regardait intensément. Il l'appelait. Il la suppliait de venir avec lui, son père. L'enfant-fée se leva. Elle aimait son père plus que tout et était elle prête à lui obéir en toutes choses. Elle suivrait la lumière de cette torche merveilleuse n'importe où. Gorpo jubilait. Sans perdre une seconde, il la fit monter avec lui sur le dos du chien-vampire.

Lorsqu'ils l'aperçurent, les ailés voulurent porter secours à Sinwa, mais les chiens-vampires leur sautaient à la gorge dès qu'ils tentaient de se poser au sol. Il était désormais impossible aux grands oiseaux de fouler l'herbe verte qu'ils aimaient tant. Impossible pour eux de s'approcher de Sinwa. L'enfant-fée, quoi qu'ils fassent, était captive de cet horrible diablotin. Épuisés et désespérés, les ailés trouvèrent refuge dans les premiers cercles de la Tour Sans Ombre, et leurs cris de douleur allèrent mourir dans la vallée.

2

Chevauchant le chien-vampire, le dia-blotin quitta le Pays Sans Soir à l'insu de

Tolain et de ses troupes infernales. Avec rapidité, il mena l'enfant-fée jusqu'au Temple de la Nuit. Au pied de l'escalier, le chien-vampire décida de s'arrêter. Il refusait de gravir toutes ces marches de pierre. On ne l'y prendrait pas deux fois. Gorpo l'abandonna à son sort sans grand regret : ces bêtes dégageaient une forte odeur que même un diablotin ne pouvait supporter. Il entreprit donc de gravir l'escalier, entraînant la belle Sinwa avec lui. Toujours éblouie par l'esprit de la torche magique, l'enfant-fée obéissait au diablotin sans offrir aucune résistance. Alors qu'ils étaient à moitié chemin, l'insupportable tumulte des bokwus parvint à leurs oreilles.

— Arr ! Tu entends cette horreur ? Ce sont les génies noirs qui crient victoire. Le règne de la reine de l'aube a pris fin. Oui, maintenant c'est terminé.

Bien qu'il se garde de le dire à la jeune fée, cette nouvelle le rendait très nerveux. Il savait que la déroute d'Athiana signifiait le retour de Tolain et des bokwus au Temple de la Nuit. Gorpo frissonna. Il ne donnait pas cher de sa toison si les génies découvraient qu'il s'était enfui avec la dernière des filles du ciel. Il devait se hâter. Disparaître vite fait, avant leur retour.

Parvenus au haut de l'escalier, ils se butèrent à la porte du Temple. Elle était noire, infranchissable.

— Par l'Erkan ! C'est trop bête !

Il n'avait pas grimpé jusque-là pour se retrouver coincé comme un imbécile. Hors de lui, il souleva sa torche pour en frapper la porte. Il était tellement furieux qu'il la fit tournoyer au-dessus de ses cornes, pour être bien certain qu'elle se fracasserait contre le verre dès le premier coup. Mais le diablotin ne frappa rien du tout. L'éclat de la flamme, en tournoyant ainsi dans tous les sens, révéla aux yeux de Gorpo la faille secrète qui traversait la profondeur du verre.

— C'est par ici ! s'écria-t-il en pointant la porte, tirant brusquement Sinwa vers lui.

Dès qu'ils furent à l'intérieur, le Maître-Feu leur apparut dans toute sa splendeur. Sa lumière éclatante rompit l'envoûtement de la torche que brandissait toujours le diablotin, et Sinwa réalisa soudain ce qui lui arrivait. Son visage devint aussi pâle que la lune dans le ciel.

— Cette fois, Num est bel et bien vaincu ! crépita le Maître-Feu, manifestement de très bonne humeur. Après toutes ces années, ses trois filles auront finalement été réduites au silence ! Tu m'entends, prêtresse de Num ? Prépare-toi à rejoindre le monde des ombres. Tu seras sacrifiée sur l'autel dès le retour du nouveau roi d'Azura, Tolain en personne !

— Arr ! C'est de la folie ! s'écria Gorpo. La fille du ciel ne doit pas mourir ! Elle nous ouvrira la porte du palais de Num. Elle nous fera pénétrer dans le monde interdit !

— Enchaîne-la à un pilier de vérité, ordonna le Maître-Feu, sans prêter attention aux protestations du diablotin. On va s'amuser un peu en attendant le retour de Tolain.

Gorpo jeta un regard sombre et dur au Maître-Feu. En grognant, il saisit une chaîne et attacha le lourd bracelet au poignet délicat de l'enfant-fée. Mais, au lieu de fixer l'autre extrémité au pilier, comme l'exigeait le Maître-Feu, il referma le bracelet sur son propre bras.

— La fille du ciel est à moi ! lança-t-il en défiant l'esprit éclatant. Personne n'y touchera ! Vous m'entendez ? Personne !

151

Puis, disparaissant dans l'ombre des piliers, il entraîna l'enfant-fée vers les tunnels qu'avaient creusés les bokwus.

Le Maître-Feu s'enveloppa d'une épaisse fumée. Il était furieux et sa voix gronda comme un volcan surgissant tout droit des profondeurs de l'Erkan.

— Petit monstre ! Tu n'es pas mieux que mort !

À ces mots, comme une volée de chauves-souris dérangées dans leur sommeil, des flammes surgirent de sa gorge embrasée et s'élevèrent en tourbillonnant. Elles montèrent entre les piliers de vérité, éclairèrent la grande salle du Temple, puis retombèrent dans un fracas d'incendie. À la vitesse de l'éclair, elles s'engouffrèrent dans les tunnels à la poursuite de Gorpo qui, terrifié par la puissance du Maître-Feu, courait aussi vite que le lui permettaient ses courtes jambes.

Le diablotin entraînait Sinwa dans les tunnels les plus noirs, talonné par le sifflement aigu de centaines de petites flammes qui cherchaient à venir lui piquer le dos. Les doigts du Maître-Feu étaient longs et filaient comme des oiseaux de proie dans la nuit. Ils ne tarderaient pas à les rejoindre. Déjà le battement de leurs ailes brûlantes dessinait autour d'eux des ombres menaçantes. Gagné par la panique, Gorpo s'engagea dans un passage ténébreux qui descendait abruptement dans la pierre, espérant ainsi échapper à la colère qu'il avait provoquée.

Dans sa trop grande hâte, son pied frappa une pierre et il tomba violemment sur le sol. Les flammes ne lui laissèrent pas l'occasion de se relever et se jetèrent sur ses épaules, sa tête, ses jambes. Sa toison prit feu à chacune de ses extrémités les plus sensibles.

— Arr! Par l'Erkan! Je brûle! Lâchez-moi! Lâchez-moi!

Près de lui, Sinwa s'était couvert la tête de ses mains, éblouie par cette pluie brûlante qui s'abattait sur eux. Les flammes sifflaient à ses oreilles et chauffaient le bout de son nez, mais elle n'hésita pas. Au risque de se brûler, elle plongea la main dans le tourbillon enflammé et s'empara de la torche du diablotin. Sans attendre, elle la jeta au fond du tunnel le plus obscur. En un éclair assourdissant, les flammes se lancèrent à sa poursuite et disparurent dans la nuit du monde.

— Le feu de cette torche magique les attire. Vite, ne restons pas ici ! dit-elle en indiquant au diablotin une vaste pièce creusée dans la pierre.

Gorpo s'empressa de la suivre. Une fois en sécurité, il ne fit preuve d'aucune gratitude envers celle qui venait de le sauver des griffes du Maître-Feu.

— Arr ! Nous voilà bien avancés maintenant ! Coincés dans ce trou comme des cafards sous une pierre !

Mais Sinwa ne prêta pas attention à ses paroles. D'un œil curieux, elle fouillait la crypte dans laquelle ils venaient de pénétrer. Creusé dans la voûte, loin au-dessus de leurs têtes, un puits laissait entrer la lumière des étoiles, et elle sourit de retrouver en ce sombre endroit l'éclat des palais célestes de son père. Peu à peu, alors que ses yeux s'habituaient à la pénombre, elle vit que de longs poèmes couvraient les murs autour d'elle. Des poèmes écrits en langue sacrée et attribués à nul autre que Num. Inscrites dans la pierre tels des joyaux à l'éclat éternel, les stances magiques n'avaient rien perdu de leur sagesse ou de leur force. La divine musique, destinée à éclairer l'âme de ceux qui s'aventuraient en ces lieux obscurs, opérait toujours, et Sinwa en fut touchée plus qu'elle ne l'aurait cru.

— La chambre des mystères, murmura-t-elle, émue.

À l'origine, cette salle avait été construite pour conserver les rêves de la muse des muses. Les rêves d'Uma, mère des trois prêtresses d'Azura. Sa mère à elle. Puis les hommes, par leurs prières, trouvèrent une place auprès de leur muse. Celle qu'ils avaient adorée acceptait d'héberger le feu de leurs passions mortelles pour l'éternité. Mais la chambre où se trouvait Sinwa était vide. Les bokwus avaient vandalisé la demeure des dieux. Les rêves des hommes avaient été dérobés et livrés sans remords à la voracité du Maître-Feu. Pire, l'âme d'Uma, la Déesse-Mère, avait été chassée de son ultime repos.

La jeune fée était dévastée. Ce qu'elle avait de plus cher au monde était perdu à jamais. Sauvagement pillé par une bande de génies sans scrupule. L'éternité n'était plus ce qu'elle était.

Arrachant Sinwa à ses sombres pensées, le diablotin se retourna pour se diriger dans le coin opposé de la salle. Il avait flairé un souffle fétide reconnaissable entre tous. Un souffle qu'il croyait avoir oublié. Montant d'une ouverture pratiquée dans le sol, l'air vicié des Terres Profondes chatouillait ses narines et quelque chose qui ressemblait à un sourire apparut sur son visage roussi par le feu.

— Les bokwus ne se sont pas arrêtés ici, à ce qu'on dirait ! Allez ! Viens, fille du ciel. Je t'invite chez moi, dans le chaos fumant des Terres Profondes !

— Non ! Pas de ce côté ! cria Sinwa. Je ne veux pas aller plus loin ! Je dois retourner au Pays Sans Soir ! Je dois retrouver Athiana !

Mais il était trop tard. Déjà le diablotin l'entraînait sur les routes sombres des vallées ensevelies. Déjà il se voyait chez lui, pataugeant comme un enfant dans les marais du pays crépusculaire.

3

Au sommet d'Azura, les bokwus n'avaient pas perdu leur temps. En une seule nuit, ils avaient creusé pour Tolain un repaire sous l'Arbre-Noir. Dans le ventre de la Verte

Colline, l'exilé avait fait son nid. Personne, il le savait, ne pouvait contester ses droits sur cette terre. Les jardins de Num, désormais, lui appartenaient.

« Je suis Azura ! » proclama-t-il en contemplant toute l'étendue du pays enchanté qui s'offrait à lui.

Le sang de Num coulait dans ses veines, et, pour la première fois, une seule et même personne régnait sur les deux visages de la terre sacrée. Jamais, avant lui, un tel pouvoir ne s'était manifesté en ce monde.

« Aussi longtemps que la reine de l'aube sera ma prisonnière, Num lui-même n'osera m'affronter ! Bientôt, il n'aura d'autre choix que de s'incliner à son tour. »

Tolain se félicitait de ce pied de nez céleste et interprétait le silence du vieux mage comme un aveu de sa faiblesse. Au fond de lui, il se réjouissait d'avoir suivi les conseils du Maître-Feu. L'esprit embrasé avait vu juste : il était devenu l'égal d'un dieu ! Il se tenait au sommet du monde aux côtés du nouvel Arbre-Roi, prêt à affronter vents et tempêtes. Le jeune arbre aux bras tordus et au visage noir deviendrait l'emblème de sa force, le symbole vivant de sa revanche sur sa mère. Ensemble, ils grandiraient, unis comme des frères, et autour d'eux l'ombre se ferait chaque jour plus impénétrable. Déjà l'Arbre affichait une robustesse qui s'accordait à l'expression farouche de Tolain. Des mouvements sournois se devinaient parmi ses branches et des reniflements impatients soulevaient les plus petites feuilles. Les bokwus y étaient rassemblés, pareils à des rapaces assoiffés d'âmes et de sang. Les monstrueux génies n'attendaient qu'un signal pour se répandre en vagues affamées sur le monde. Ils étaient prêts à se précipiter dans la mort si on le leur demandait.

— Vous tous, amis et serviteurs du Maître-Feu ! Génies de l'ombre et autres créatures ! appela Tolain en agitant son large chapeau au-dessus de sa tête. Allez ! Multipliez-vous ! Annoncez à tous qu'il y a un nouveau roi à Azura ! Annoncez à tous que le jour s'est éteint et ne renaîtra plus !

À ces mots, un fracas assourdissant monta de l'Arbre. Quittant ses branches, les génies noirs se mirent en route. La clameur qui avait fait frémir Azura se lançait à la conquête du monde. Les dernières lueurs du jour allaient bientôt disparaître.

4

Réfugiée dans la Tour Sans Ombre, Athiana assistait à cette tragédie qui frappait le Double Pays. La folie du Maître-Feu avait transformé sa vallée bienheureuse en une sinistre banlieue de l'Erkan, et les bokwus avaient déjà commencé à brûler l'herbe pour y creuser leurs nids infects. Mais, pour l'instant, quelque chose de plus pressant la préoccupait.

— Où est Sinwa ? demanda-t-elle aux ailés qui l'avaient suivie. L'un d'entre vous l'a-t-il aperçue ?

— Nous avons vu un diablotin s'approcher de l'enfant-fée, alors qu'elle priait aux abords du puits. Ils ont tous deux disparu, montés sur le dos d'un de ces horribles chiens.

— Et de quel côté sont-ils partis ?

— En direction du Temple, dit l'ailé en désignant la nuit d'une de ses ailes.

— Le Temple de la Nuit ? Vous en êtes sûrs ? C'est là, derrière les murs obscurs, que brûle cet esprit surgi de l'Erkan. Cet esprit qui m'a volé mon fils ! se lamenta la fée.

Sinwa court un grave danger. On ne peut rester ainsi, sans rien faire.

Confinée dans les chambres de lumière de la Tour Sans Ombre par Tolain, Athiana était impuissante, et les ailés ne pouvaient se mesurer seuls au Maître-Feu. Azura était-elle condamnée à disparaître ? La reine de l'aube semblait vaincue. L'éclat du migui, ce bijou céleste qui brillait à son cou, faiblissait de plus en plus. Lorsqu'il serait éteint, la Tour Sans Ombre elle-même serait envahie par les ténèbres.

« Je ne pourrai plus tenir longtemps », soupira-t-elle.

Il existait trois de ces miguis : un pour chacune des filles de Num. Le premier, semblable à la lune, s'était éteint lorsque Nahara était devenue Baha-Mar. Le second, chatoyant comme le soleil aux premières heures du jour, appartenait à la reine de l'aube, tandis que le dernier, perçant comme une étoile, était lié à Sinwa, la plus jeune des trois. Athiana se rappela soudain du prince Nimir. Il avait toujours en sa possession le migui de l'enfant-fée. Il était le gardien de la dernière flamme de Num à briller librement sur cette terre. Il représentait la dernière chance d'Azura. Peut-être la dernière chance de ce monde. Mais la fée ne se faisait aucune illusion : les filles de Num avaient été incapables de défendre le Pays Sans Soir. Elles étaient donc condamnées à disparaître. Elle-même était prisonnière de sa propre tour, et Sinwa était sans doute déjà l'esclave du Maître-Feu. Mais peut-être que le jeune prince, qui était aussi un peu sorcier, parviendrait à sauver Tolain des griffes de l'esprit embrasé. Peut-être réussirait-il à ramener son fils à la raison.

La fée se tourna vers Élor, son plus fier et vaillant messager ailé. Pour la première fois depuis longtemps, une lueur d'espoir brillait dans ses yeux.

— Tu dois retrouver le prince Nimir, dit-elle à l'ailé. Lui seul peut encore aider Tolain et libérer Azura des forces de l'Erkan. Mon fils est aveuglé par le Maître-Feu et j'ai peur de ce qu'il va maintenant entreprendre. Fais vite, je t'en prie. Le temps nous est désormais compté.

— Le vent me portera au-delà de la nuit, et je n'en reviendrai que les ailes nimbées de lumière, promit l'ailé en saluant la fée de son long bec.

Sans autres délais, il prit son envol et quitta la haute tour pour affronter la clameur qui déchirait la nuit.

XI

La cité du silence

1

Après une longue traversée, le navire de l'empereur Sidrien VI avait finalement atteint la cité secrète d'Oasio. À son bord, Nimir n'en pouvait plus d'attendre. Ce voyage interminable touchait à sa fin et il contemplait l'incroyable cité comme s'il s'agissait d'un cadeau des dieux.

Escortée par un banc d'oasiens, la flotte impériale approchait de la pointe d'Oasio, fleur d'or gigantesque posée sur l'océan. Il y avait des siècles qu'un navire était venu jeter l'ancre au bout du grand quai de la cité et une foule nombreuse était montée des profondeurs pour attendre les invités.

Parmi elle, un énorme oasien venait de faire surface.

— Smin ! s'écria Netho, qui se tenait sur le pont à quelques pas de Nimir. Il n'y a pas de doute, c'est bien lui !

Il reconnaissait sa longue moustache ainsi que la musique inimitable qui s'échappait de son nez noir et pointu. Elle ressemblait à la plainte étranglée d'une trompette gelée. L'effet était saisissant au début, mais la discipline que s'imposaient les oasiens pour rendre les notes de leur discours intelligibles, rendait, au bout du compte, l'étrange musique fort attachante.

— Vrr ! Votre voyage prend fin ici, seigneurs étrangers, claironna l'oasien. Réjouissez-vous, car, à partir de maintenant, vous connaîtrez les heures transparentes d'Oasio et oublierez les soucis qui accablent les hommes de votre terre.

À bord de longues barques, l'empereur et sa suite furent conduits jusqu'aux coquilles de méditation où logeaient les prêtres oasiens et leurs assistants. Situés à seulement quelques mètres sous la surface, ces salons flottants étaient adjacents au Rissum, l'enceinte sacrée aménagée au centre de la fleur merveilleuse, et on pouvait y entendre les oasiens répéter pour la grande cérémonie. C'était là, aux premières heures du jour, dans cette cathédrale de lumière posée à la surface de l'océan, que Smin serait sacré Père de tous les oasiens ; le Premier, comme on l'appellerait désormais.

2

Une lumière agréable éclairait la chambre où se trouvait Nimir. La coquille de méditation était une pièce circulaire qui ressemblait plus à une bulle qu'à une simple chambre. Les parois, taillées en pointe, étaient minces et d'une blancheur laiteuse. Elles se rejoignaient au-dessus de sa tête pour former une étroite spirale dont la pointe s'étirait jusqu'à la surface.

«Comme le bulbe d'une fleur», pensa le jeune prince en promenant son regard autour de lui.

Des ombres défilaient derrière les parois diaphanes. Des groupes de nageurs oasiens qui vaquaient à leurs activités. Ils étaient tous très occupés à achever les préparatifs de la cérémonie et du banquet qui devait clôturer cette journée exceptionnelle. Les plats les plus raffinés de la cuisine oasienne avaient été mijotés pour l'occasion : plancton aux bourgeons de mer, crème aux œufs de pieuvre bien frais, ainsi qu'une quantité impressionnante de golbron aux algues, genre de soupe-boisson dont les vapeurs faisaient siffler les oasiens de bonheur. De toute évidence, les chefs cuisiniers, soucieux de s'assurer que le précieux bouillon était savamment dosé, y avaient déjà trempé le bout du nez, et Nimir pouvait entendre leurs chants réjouis voyager dans l'espace marin.

Soudain une oasienne se glissa à l'inté-rieur de la bulle de Nimir. Elle était vêtue d'une robe aux reflets de perle bleue, qui témoignait de son rang élevé. Son nez, moins énorme que celui des hommes des mers, émettait un sifflement harmonieux, empreint de sagesse, qui plut tout de suite à Nimir.

— Je suis Soa, dit-elle. Je suis venue vous aider à vous préparer pour votre première grande descente.

— Ma descente ?

— On m'a chargée de vous faire visiter l'oasis. Vrr ! C'est moi qui vous servirai de guide, ajouta l'oasienne en pointant son nez vers l'étranger pour capter sa réaction.

Bien sûr, Nimir était ravi. Il avait très envie de sortir pour visiter la cité, et cette oasienne lui inspirait confiance. Affichant son son plus beau sourire, elle lui remit un paquet, sorte de cadeau de bienvenue destiné aux visiteurs.

À l'intérieur, Nimir découvrit des semelles lestées, des gants palmés, auxquels étaient fixés des brilleurs, bracelets de plongée très pratiques dans les profondeurs, ainsi qu'un casque que l'on posait sur la tête comme une couronne. C'était un mécanisme léger qui, grâce à un filtre ingénieux, procurait de l'oxygène à celui qui le portait.

— Nous gardons ces équipements pour les étrangers. Vrr… Il y a bien longtemps qu'ils ont été portés, lui confia-t-elle avec la gêne de quelqu'un qui offre des vêtements défraîchis, ou pire, d'une mode devenue risible.

Nimir ne connaissait pas les usages des oasiens et les trouvait, quant à lui, des plus convenables. Pour tout dire, cet attirail d'explorateur des mers lui donnait une allure d'aventurier qui était loin de lui déplaire.

 167

Soa entraîna Nimir dans les profondeurs de la colonie. Dans ce monde secret, tout était bleu : le ciel, le sol, cette tour magistrale qui prenait racine dans le lit de l'oasis marine et autour de laquelle la cité s'était peu à peu constituée. Avec les années, la population grandissante de l'oasis avait nécessité la construction de galeries toujours plus profondes et spacieuses. Nimir pouvait voir leur extraordinaire réseau sillonner la vallée sous-marine. Jamais il n'avait imaginé que l'oasis puisse être aussi vaste et, surtout, aussi peuplée. Maintenant, il en était convaincu : cette cité aux racines profondes était la capitale des océans !

L'invasion des krosts faisait partie de l'histoire d'Oasio, mais les traces de leur passage étaient toujours bien visibles. Ils longèrent cette faille colossale qui avait dévasté l'oasis et de laquelle les horribles mercenaires de Baha-Mar avaient surgi. On aurait juré que les plaques de pierre et de boue s'étaient livrées un absurde duel. Elles gisaient les unes contre les autres, mortellement touchées. Ils marchèrent ainsi jusqu'à une colline couverte d'algues bleues et brillantes.

— Une plantation de golbron, précisa Soa.

À la demande de l'oasienne, Nimir désactiva ses bracelets de plongée. Éclairés seulement par la luminescence du jardin d'algues, ils observèrent l'horizon marin. L'espace trouble était la toile de fond sur laquelle la vie des oasiens défilait. Ils étaient incroyablement nombreux à nager autour de la prodigieuse cité. Leur silhouette argentée rayonnait en filant parmi les courants ascendants qui, telle une boucle aux eaux plus chaudes, tempéraient le climat de l'oasis. La dignité qui émanait de chacun de leurs mouvements fit réaliser au prince l'extraordinaire maturité de ce vieux peuple. Pendant des siècles, ses habitants avaient entretenu l'oasis et en avaient fait le centre de leur vie. La lumière de la fleur d'or, pareille à un phare vivant, veillait sans faiblir sur la profonde solitude du destin qu'ils avaient choisi. Les oasiens en ressentaient une grande joie, sorte de marée mystique qui s'accordait au cycle spectaculaire de sa floraison et qui faisait d'Oasio une cité merveilleuse en toute saison. Il y régnait une sorte de quiétude nonchalante, mêlée à un puissant sentiment de civilisation qu'on ne saurait décrire avec justesse qu'en utilisant des mots marins : mots d'abandon et de fidélité, mots de remous et de réconciliation. Les mots de l'espoir. Nimir avait l'impression de vivre un de ces moments privilégiés où rien de fâcheux ne peut se produire ; parfait silence suspendu entre la douleur des jours passés et celle des jours à venir. C'est en y repensant, beaucoup plus tard, qu'il comprit que c'était la paix elle-même qu'il avait contemplée, debout au sommet de cette colline radieuse.

— Nous devons remonter maintenant, dit Soa. Sinon nous ne serons jamais prêts pour la cérémonie du Rissum.

3

Tout le peuple oasien était réuni au sommet de la cité. Les plus vieux avaient abandonné leur méditation pour assister à la cérémonie et des milliers d'enfants sillonnaient l'eau des bassins bénis sans paraître vouloir se fatiguer. Ils sifflaient des chants sacrés dont l'admirable complexité les faisait souvent trébucher. En réponse, la foule sifflait à son tour, corrigeant, ce faisant, leurs touchantes maladresses. Cela continua jusqu'à ce que la pointe du Rissum, telle une fleur étincelante, jaillisse de l'océan, tout entière ouverte. Dans les bassins de cette fantastique cathédrale d'eau, les danseurs étaient maintenant de plus en plus nombreux, semblant se multiplier sous l'effet d'une magie effervescente. De leurs longues mains palmées s'échappaient de fins cristaux qui laissaient sur leur passage une traînée brillante et colorée. Ces nuages éclatants flottaient sur l'eau, s'assemblant les uns aux autres pour créer des tableaux aux couleurs éphémères.

— Ces danses sont très anciennes, expliqua Soa. Nos pères croyaient que Num pouvait voir, de son palais céleste, l'offrande des danseurs briller un moment à la surface de l'océan.

Smin fit son apparition au milieu du bassin. Deux oasiens l'escortèrent jusqu'au réservoir du Rissum, cette même cuve qui avait accueilli Baha-Mar lorsqu'elle avait occupé leur cité. Une fois Smin installé à l'intérieur, la cuve se mit à descendre vers les profondeurs du bassin. Là l'attendait un panier de coquillages ancestraux. L'oasien devait y choisir ceux qui formeraient son collier de commandement. C'était une opération délicate et Smin s'y préparait depuis des mois. Un mauvais choix, ou une simple hésitation, pouvait jeter une ombre néfaste sur son règne tout entier. Les oasiens étaient très sensibles aux voix des profondeurs. À l'intérieur des coquillages plusieurs fois centenaires était préservé l'écho de leur long et douloureux exode. Depuis ce jour lointain où, rejetés à la mer par les ailés, ils avaient renoncé à la terre pour lier leur destin à celui des océans, la route de leur errance y était inscrite. Tous les oasiens en connaissaient les sombres détours, mais seul le Premier, par sa clairvoyance, savait interpréter la volonté secrète des Courants Vivants qui murmuraient en chacun d'eux. Smin ne se tromperait pas. Il n'en avait tout simplement pas le droit.

Lorsque la cuve sacrée toucha le fond du bassin, Nimir crut entendre un faible chuchotement qui montait autour de lui. Curieux, il tendit l'oreille. Les oasiens chantaient ! Tous ensemble, ils avaient entonné une étrange complainte qui glissait doucement d'un côté à l'autre de la foule, revenant à droite pour repartir aussitôt à gauche, tel un chant mouvant capturant l'esprit en plein vol. Ce mouvement s'accéléra, leur voix s'amplifia jusqu'à faire résonner tout le Rissum. Nimir sentit des frissons courir sur sa nuque. Au fond du bassin, Smin avait pris les précieux coquillages. Il les caressait entre ses doigts palmés, tandis qu'une fervente prière gonflait son nez ému. Le collier de commandement lui était destiné. Il était l'élu, le Premier ! Cette seule pensée lui procurait une fierté aussi vaste que l'océan, aussi pure que les glaciers où son peuple était né. Il devenait le gardien d'Oasio, et son cœur, en cet instant, était encore plus lumineux que la fleur d'or qu'il vénérait avec une telle dévotion.

Mais au moment où il s'apprêtait à passer le collier à son cou, le chant des oasiens se cassa et s'interrompit brutalement au milieu de son plus bel élan. Au-dessus de l'océan, le ciel s'était soudainement obscurci. Le monde venait de basculer dans la nuit et une clameur se leva à l'horizon. Soudain, des oasiens sifflèrent l'alerte. Dans le ciel ténébreux, un ailé approchait. Toutes ailes déployées, il filait vers la pointe du Rissum, porté par la terrible clameur qui tombait du ciel.

4

Les oasiens avaient horreur des ailés. L'arrivée de celui-ci au milieu de la cérémonie était une catastrophe. Un mauvais présage qui n'échappa pas à Smin. Du fond du bassin, il dressa son long nez et ordonna la fermeture du Rissum. L'ailé ne devait surtout pas pénétrer au cœur de la cité. L'affront aurait été impardonnable. Mais il y avait également cette clameur horrible qui annonçait une menace encore plus redoutable. Son écho rendait fou quiconque l'entendait, et les oasiens se précipitaient sous l'eau pour trouver refuge dans les profondeurs d'Oasio. Là-bas, dans les paisibles colonies de la cité du silence, ils seraient épargnés par ce cri de folie et cachés au plus profond de l'océan, personne ne pourrait venir les accabler.

L'empereur et sa suite furent eux aussi invités à regagner leurs quartiers, échappant ainsi à l'horreur qui s'emparait du monde.

Nimir suivait l'oiseau des yeux. Que faisait cet ailé solitaire si loin des terres ? Au creux de sa main, il serra le migui de l'enfant-fée. Sa chaude lumière n'était plus que pâle lueur et son écorce desséchée ressemblait à un fruit difforme et sans vie. Il comprit aussitôt que son amie était en danger. Qu'il devait lui porter secours.

— Laissez-moi passer ! cria-t-il en repoussant les oasiens qui l'escortaient. Sinwa a besoin de moi ! Vous m'entendez ? Il me faut la retrouver au plus tôt !

Ignorant les sifflements qui s'élevaient autour de lui, Nimir se précipita vers le quai de la cité. Le souffle de la tempête avait habillé la mer de ténèbres et des vagues invisibles se brisaient sur le Rissum avec fracas, mais cela ne l'arrêta pas. Près du quai, il aperçut les barques oasiennes, emportées dans une danse houleuse, se heurtant les unes aux autres comme d'aveugles montures dans leur enclos. Sans attendre, Nimir attrapa la plus près et la ramena vers lui. Dès qu'il y posa le pied, le jeune prince fut jeté au fond par la force du roulis. Il se releva, décidé à affronter les éléments et à suivre cet élan que lui dictait son cœur. Mais alors qu'il s'affairait à dénouer l'amarre, une vague ténébreuse le souleva et le jeta par-dessus bord. Avant d'avoir pu pousser un cri, Nimir fut emporté dans le tumulte des flots. La force du courant ne lui laissa aucune chance. Il allait sombrer lorsque, soudain, une main le saisit et le tira hors de l'eau.

— As-tu perdu la raison ? s'écria Netho. Tout le monde doit retourner à l'intérieur de la cité ! Allez, viens !

— Mais… mais, père ! bredouilla Nimir en cherchant à reprendre son souffle. Voyez, là-haut… parmi les nuages !

— Qu'y a-t-il ?

— Cet ailé ! Cet oiseau aux blanches ailes…

— Je ne vois qu'une pauvre bête luttant contre les vents. Un oiseau que la tempête aura surpris, tout comme nous.

— Vous ne comprenez donc pas ? C'est un envoyé d'Azura ! Un messager de Num ! L'enfant-fée est en danger ! Je dois absolu-ment la retrouver. Je dois….

Dans le ciel, la terrible clameur couvrit la voix surexcitée du prince, et Netho tourna les yeux pour observer ce vent qui répandait la nuit. Perdu parmi les noirs tourbillons, il suivit l'ailé qui bravait les ténèbres. Il suivit le vol de ce blanc messager que lui désignait Nimir avec insistance. Mais Netho vit aussi qu'autour d'eux, les derniers gardes oasiens avaient tous regagné les profondeurs de la mer. Il vit qu'ils étaient maintenant seuls à l'extérieur. Seuls, et à la merci des éléments qui se déchaînaient.

— C'est assez, trancha le roi. Nous devons suivre les autres à l'intérieur de la colonie avant qu'il ne soit trop tard.

Nimir protesta, mais, perdue dans le tumulte qui les submergeait, sa petite voix ne parvint jamais aux oreilles du noble géant. Le prince quitta donc la surface sans connaître la réponse à ses questions. Sans connaître la véritable nature de la menace qui pesait sur Sinwa. Une dernière fois, il leva les yeux et vit la pointe du Rissum qui se refermait. Le silence, comme un ordre glacial et sans pitié, tomba sur la cité secrète d'Oasio. Dans le ciel, l'ailé lança un cri désespéré, mais personne, désormais, ne pouvait l'entendre. La nuit avait eu le dernier mot.

À paraître

LA TOUR
SANS OMBRE

TABLE DES MATIÈRES

**Gaëtan
Picard**

Discret mais résolu, Gaëtan Picard a commencé à écrire la saga fantastique d'Azura à l'âge de dix-neuf ans. Le monde fantastique qu'il a créé est la marque d'une imagination poétique et foisonnante. Lorsqu'il ne navigue pas dans les eaux aventureuses du Double Pays, il conçoit des sites Internet, écrit des discours politiques ou déploie ses talents d'illustrateur. Il habite à Montréal.

COLLECTION CHACAL